# Le montage

## L'espace
## et le temps du film

## Vincent Pinel

Collection dirigée par Joël Magny et Frédéric Strauss

CAHIERS DU CINÉMA | les petits Cahiers | SCÉRÉN-CNDP

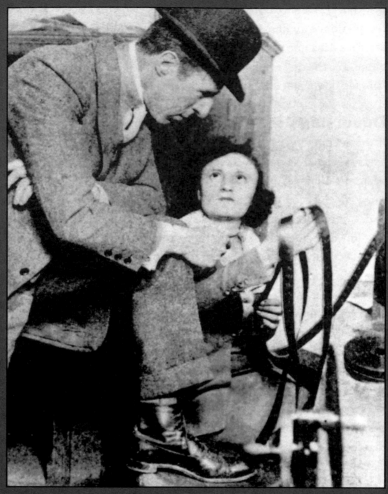

David W. Griffith, défricheur des techniques du montage, en compagnie de sa monteuse, Rose Smith.

# Première partie

## Chapitre 1

# Le temps du tableau

## Le cinéma sans le montage

### La « vue »

Les deux principaux modes de représentation du cinéma des premiers temps, la VUE et le TABLEAU, excluaient d'emblée l'idée de montage.

Au commencement fut la « vue » Lumière, qui n'était rien d'autre qu'une diapositive photographique en mouvement permettant de « saisir la vie sur le vif » ou de reproduire des saynètes modestement mises en scène en décor naturel. La « vue » formait un tout qui ne sollicitait ni avant, ni après, ni contrechamp. Tout était dit dans la simplicité d'une prise unique de moins d'une minute dictée par l'appareil de prise de vues et de projection qu'il fallait recharger ; un cadre fixe et ajusté

*Place des Cordeliers (Lyon)*, n° 128 du catalogue Lumière (1895). La « vue » Lumière : l'ordinaire et le quotidien photographiés avec le mouvement crèvent l'écran et deviennent littéralement « extraordinaires. »

laissait cependant respirer les êtres et les choses. La « vue » est le premier mode de représentation de ce qu'on n'appelait pas encore le « cinéma du réel ».

## Le tableau

Le concept de TABLEAU se référait moins directement à l'art pictural (à quelques exceptions près) qu'au vocabulaire des spectacles de variétés, des revues ou des opérettes. L'expression cinématographique naissante se constituait autour de la *scène* (le mot est pris ici dans son acception d'unité du récit dramatique) traitée sous la forme d'un *tableau* (une prise de vues d'un seul jet embrassant frontalement la totalité d'un décor peint). Les premiers « studios » spécialement

*Nuit d'insomnie,* réalisateur et date inconnus. Le tableau à la française : frontalité et espace scénique. Le cadre du film reprend le cadre de la scène.

conçus pour le tournage des films reflétaient bien cette disposition obligée. Le « théâtre de pose » construit par Georges Méliès à Montreuil-sous-Bois dès 1897 prévoyait un « côté scène » et, à l'opposé, un petit appentis destiné à la prise de vues correspondant au « quatrième mur » du théâtre. Tout « contrechamp » était impensable : il aurait consisté à présenter la salle de projection et les spectateurs. La caméra ne jouait aucun rôle créateur : elle était l'instrument du simple enregistrement d'un spectacle préparé sur le plateau qui lui faisait face.

## La liberté de la « vue » et la rigidité du tableau

La VUE et le TABLEAU présentaient des caractéristiques communes : leur autarcie, leur autonomie. Mais les facteurs qui les différenciaient étaient beaucoup plus tangibles : à la liberté de cadrage de la « vue », qui était celle de la photographie, répondait la rigidité du dispositif scénique du tableau. Avec la « vue », la caméra se déplaçait dans le monde pour enregistrer ses apparences et, à la rigueur, de petites scènes comiques. Avec le tableau, le décor changeait devant la caméra pour représenter des scènes de fiction : « vues historiques » ou « scènes reconstituées ». La mise en place et la direction des interprètes, c'est-à-dire la « mise en scène », s'effectuaient par rapport à l'intégralité de la toile et non par rapport au cadre de la caméra. La caméra, ce faisant, adoptait le point de vue du spectateur censé occuper le premier rang des fauteuils d'orchestre, derrière le trou du souffleur. Une sorte de règle tacite voulait que les acteurs soient vus « en pieds » avec de l'« air » au-dessus de la tête. Le regard du public, profondément marqué par une longue tradition théâtrale, acceptait mal qu'un personnage de fiction apparaisse autrement que sur une scène qu'il ne soit pas représenté en entier sur l'écran, du moins dans tous les registres autres que le comique : un acteur cadré à mi-corps était traité de « cul-de-jatte » ou d'« homme-tronc »… Tout ce qui relevait du jeu dramatique était nécessairement lié, dans l'esprit des gens, au dispositif de représentation théâtral, au cadre et au plateau de la scène.

Curieusement, les spectateurs refusaient dans la représentation d'un monde fictif ce qu'ils acceptaient dans les vues documentaires. L'un des films le plus justement célèbre de Louis Lumière, l'*Arrivée d'un train en gare de La Ciotat* (dans sa version la plus connue de 1897), nous présentait ce que nous appelons aujourd'hui toute la gamme des plans, des plus éloignés au très gros plan. Mais ces jeux sur la profondeur de champ et la « grosseur » relative des personnages n'étaient pas acceptés dans le cadre du tableau qui se référait à la norme scénique. Il faudra des années et vaincre une profonde réticence psychologique pour imposer dans le domaine de la fiction les prises rapprochées – plan américain, premier plan et gros plan. Il faudra d'abord aménager puis

*Le Calvaire*, onzième tableau de *La Vie et la Passion de Jésus-Christ*, première version, n° 943 du catalogue Lumière (1898). Le sujet est facile à reconnaître mais l'image, très encombrée, est difficilement lisible.

pervertir et remettre en cause le principe même du tableau, figure centrale du mode de représentation primitif. Il faudra surtout introduire une notion nouvelle et révolutionnaire, celle du PLAN, notion étroitement liée au montage.

## Les tableaux en série

Le perfectionnement technique des appareils de projection permit très vite (1896) l'allongement du métrage projetable d'un seul tenant. Pour éviter les rechargements incessants, on colla d'abord bout à bout et sans distinction des « vues » et des tableaux disparates. Un peu plus tard, on regroupa les éléments concernant un même sujet ou développant une même histoire, sans que l'on puisse parler encore de montage. Désormais, les films de fiction furent conçus comme une suite de tableaux, un décor naturel remplaçant parfois la toile peinte. Ces tableaux se succédaient sans solution de continuité, chacun d'eux représentant une étape du cheminement dramatique, un moment du récit, une unité autonome d'espace et de temps destinée à faire avancer la fiction par à-coups. L'exemple des *Vies de Jésus* et des *Passions*, très nombreuses dans le cinéma des premiers temps, est significatif à cet égard. Les différents tableaux qui composaient ces films se référaient à des scènes connues du public fortement christianisé de l'époque, ce qui simplifiait l'exposé narratif : la fuite en Egypte, la naissance du Christ, les noces de Cana, la cène, la crucifixion… De tableau en tableau, on avançait ainsi jusqu'à la Résurrection, chaque tableau conservant son indépendance et son autonomie de fonctionnement, au point même qu'il était vendu séparément.

## Un univers désordonné : les poules et le Christ en croix

Le « tableau » du cinéma était centripète, comme l'étaient les toiles des maîtres d'autrefois, les grandes peintures historiques arc-boutées sur leur cadre doré. Tout devait figurer dans l'image, et souvent c'était déjà trop. La composition graphique qui guide le regard dans la peinture était difficile à mettre en œuvre dans un vaste ensemble en mouvement brassant beaucoup de détails, parfois beaucoup de personnages éloignés, et de plus platement éclairé par la lumière du jour. L'œil en était réduit à errer dans un monde décentré au risque de la confusion. Au début du siècle, un missionnaire avait l'habitude d'utiliser le cinématographe comme instrument d'édification pour convertir les populations de la brousse africaine. Il leur présentait une *Vie et passion du Christ*. Ses ouailles suivaient avec attention les différents tableaux mais un détail préoccupait le bon père : régulièrement, lorsqu'il projetait le tableau le plus dramatique, la crucifixion, les spectateurs s'interpellaient, s'esclaffaient, pliés de rire. Il fallut plusieurs séances au missionnaire pour découvrir les raisons de cette hilarité : dans l'herbe, au pied de la croix, couraient des poules et leurs poussins… Cette figuration animale involontaire, détail minuscule à la limite de la visibilité, avait échappé à l'homme d'église qui centrait toute son attention sur l'action qu'il jugeait principale, mais pas aux Africains pour lesquels ces gallinacés présentaient un caractère familier lié à leur vie quotidienne. Un effet de reconnaissance involontairement provoqué supplantait l'effet dramatique recherché.

## Les tableaux et le récit

Le développement d'une histoire à l'aide d'un ensemble de tableaux posait également un certain nombre de problèmes narratifs. Le tableau était un mode de représentation difficile à manipuler. Dans *La Vie d'un pompier américain* (1903), Edwin S. Porter traite un sauvetage du feu en deux tableaux : l'intérieur d'une chambre cernée par les flammes ; l'extérieur d'un immeuble avec l'échelle des pompiers permettant d'accéder à une fenêtre du deuxième étage. L'action décrite est la même dans les deux cas : les pompiers sauvent une femme, son enfant, puis reviennent dans la chambre pour éteindre le feu. Les spectateurs étaient amenés à regarder deux fois la même action répétée intégralement dans sa continuité, l'une traitée en intérieur (studio), l'autre en extérieur. L'idée même de mêler les deux visions, comme le ferait un montage d'aujourd'hui, était inimaginable en ce tout début de siècle, elle aurait été totalement incomprise par le public pour qui le tableau était une figure indivisible et l'alternance des axes totalement déconcertante.
Un autre exemple nous est fourni par un passage célèbre du film de Georges Méliès, *Le Voyage dans la lune* (1902). Dans le neuvième tableau, l'Obus spatial se fiche dans l'œil droit de la lune. Au début du tableau suivant, nous sommes un temps sur le sol de la planète avant que l'Obus n'alunisse brutalement. Méliès traitait l'articulation des deux tableaux par un redoublement, à la façon scénique des revues (on trouve un exemple voisin dans *Le Voyage à travers l'impossible*, 1904, voir en

page 64). Pour un regard d'aujourd'hui, deux coups de ciseaux et un RACCORD DANS LE MOUVEMENT suffiraient à donner à l'action sa continuité. Mais on ne peut pas dénoncer une FAUTE DE RACCORD là où la notion de continuité n'existait pas. Il est aussi injuste de dire que Méliès « commet de graves erreurs de montage »[1] que de reprocher à Giotto d'ignorer les lois de la perspective. Tout au plus pouvons-nous pointer ici une contradiction : le tableau exige la durée pour s'installer et se développer (on ne lève pas le rideau pour une scène de quelques secondes) alors que l'idée de Méliès, de l'ordre du gag, exigeait un traitement rapide.

## Premières atteintes à l'intégrité des tableaux

Avec ses limites, le tableau était un mode de représentation cohérent qui, en tant que tel, rejetait les modèles figuratifs différents. Dans *Le Vol du rapide* d'Edwin S. Porter (1903), le réalisateur avait ajouté aux quatorze tableaux de son film le plan rapproché d'un hors-la-loi dirigeant son arme vers le public et tirant sur lui. Ce plan impressionnait fortement les spectateurs et assura pour une bonne part le succès du film en provoquant de modestes paniques dans les « nickelodeons ». Mais son hétérogénéité avec les tableaux successifs était telle qu'on ne savait ni qu'en faire ni où le mettre : « Cette scène peut être placée au début ou à la fin du film », commentait curieusement le catalogue Edison... Les exploitants choisirent de placer le plan à la fin, ce qui facilitait l'évacuation rapide de la salle !

C'est avec un sous-genre que le tableau va connaître les atteintes les plus sérieuses à son autarcie. La course-poursuite, fondée sur le principe simple d'une ribambelle de poursuivants lancés aux trousses d'un malheureux, rencontra un succès éclatant dans le cinéma français des années 1905 à 1909. Cette poursuite donnait lieu, évidemment, à de multiples accidents de parcours – chutes,

1. Marcel Martin, *Le Langage cinématographique*, nouvelle édition, Les Editions du Cerf, Paris, 2001, p. 153.

*Le Vol du rapide* (The Great Train Robbery) d'Edwin S. Porter (1903). Le plan rapproché du bandit (George Barnes) tirant sur les spectateurs s'accordait mal à l'univers du tableau. Premier exemple de montage aléatoire : les exploitants furent chargés de l'intégrer en début ou fin de film.

carambolages, effondrements, glissades… – qui nourrissaient chaque tableau. L'accumulation des personnages et la promptitude de leurs déplacements entraînaient inévitablement une succession plus rapide des tableaux et suggéraient l'idée d'un rythme. Par ailleurs, cette succession tendait à briser l'étanchéité de chacun d'eux et à faire émerger l'idée d'une continuité, les personnages passant de l'un à l'autre. Enfin, et surtout, on s'aperçut qu'il était nécessaire de faire entrer les protagonistes par le côté cour si on les faisait sortir côté jardin dans le tableau précédent, sous peine de donner l'impression qu'ils revenaient sur leurs pas. L'idée du RACCORD DE DIRECTION émergeait et cette idée est l'un des fondements du découpage en plans et du montage.

*Naissance d'une nation* (The Birth of a Nation) de David W. Griffith (1915) : la porte facilite le passage d'un plan à un autre.

## Les intuitions de D.W. Griffith (Etats-Unis, 1908-1916)

### Au commencement était Griffith

Premier grand maître du cinéma américain, David Wark Griffith ne fut pas l'« inventeur » du montage à proprement parler, mais un expérimentateur éclairé de la narration cinématographique qui ne cessa d'innover dans le cadre des multiples petits films de fiction qu'il tourna pour la Biograph de 1908 à 1913. Griffith resta fidèle au tableau dans la mesure où il continua de regarder l'action d'un même côté, respectant le « quatrième mur » du théâtre ; mais il rompit avec la tradition du cadrage scénique très large en s'approchant des interprètes, volontiers cadrés à mi-cuisse en *plan américain* selon l'expression française. Son effort consista à rendre le tableau plus familier, plus réaliste, à en briser l'étanchéité, à jouer de la circulation avec d'autres, joints ou éloignés.

## Le passage de la porte

Tout commença par une histoire de porte. Un personnage ouvre une porte à la fin d'un premier tableau et amorce une sortie par cette porte : l'appareil « saute » alors devant un nouveau décor, tandis que nous voyons le même personnage entrer dans le deuxième tableau en refermant la porte derrière lui. Le passage de la porte fut la vraie « traversée du miroir » qui amorça la transition entre le mode de représentation primitif et le « mode de représentation institutionnel », comme l'a dénommé l'historien et théoricien Noël Burch[1]. À la faveur de ce RACCORD et sous réserve de quelques précautions (même direction du déplacement et similitude du mouvement), l'ouverture et la fermeture de la porte établissent à la fois une continuité temporelle (l'enchaînement de l'action suggère un temps continu) et une continuité spatiale (le spectateur perçoit que les deux espaces de la représentation sont jointifs, séparés seulement par la porte).

## La structuration de l'espace et du temps

Dans *LaVilla solitaire* (1909), une mère et ses filles sont victimes de l'attaque de cambrioleurs. Avant l'arrivée du maître de maison qui vient leur porter secours, elles cherchent à gagner du temps en refluant de pièce en pièce et en se barricadant dans chacune d'elle. Le passage d'une pièce à l'autre dessine pour le spectateur la géographie d'un lieu visiblement imaginaire puisque composé dans l'artifice du studio, très certainement décor par décor. L'assemblage des images en mouvement n'établit pas seulement une continuité entre elles, il devient créateur d'un espace-temps arbitraire, l'espace du film. Par ailleurs, cha-

1. Noël Burch, *La Lucarne de l'infini, naissance du langage cinématographique*, Nathan-Université, Paris, 1991.

cun des tableaux perd un peu de son autonomie, de son statut. Le tableau commence à apparaître comme la pièce d'un puzzle, comme un PLAN.

## La structuration du récit

L'autre grand progrès apporté par Griffith concerna les structures narratives. Dans *La Télégraphiste de Lonedale* (1911), une jeune télégraphiste, prisonnière d'un groupe de bandits, utilise son instrument de travail pour appeler à l'aide son fiancé. L'essentiel du film est constitué par une succession de tableaux présentant tour à tour la jeune fille menacée et la locomotive qui fonce à son secours dans une préfiguration du MONTAGE ALTERNÉ et, de façon plus générale, du suspense. *Les Spéculateurs* (1909) donne un exemple de MONTAGE PARALLÈLE en opposant les tableaux de façon contrastée : le luxe fracassant d'une réception donnée par le spéculateur en grains ; la misère des malheureux affamés par la hausse du cours du blé qui font la queue chez le boulanger. Les tableaux ne sont plus seulement riches de leur contenu individuel. Ce qui les diversifie ou ce qui les oppose participe tout autant à l'expression.

## La beauté de l'actrice et l'« invention » du gros plan

Un apport attribué à Griffith – mais en cherchant bien on trouverait peut-être un autre précurseur – fut de battre en brèche un des interdits du tableau en s'approchant des interprètes pour les saisir en plan rapproché ou en gros plan. « La légende veut que Griffith ait été si ému par la beauté d'une actrice en train de tourner un de ses films, qu'il ait fait tourner à nouveau, de tout près, l'instant qui l'avait bouleversé, ait tenté de l'intercaler en son lieu, et inventé ainsi le gros plan », écrit André Malraux[1]. « L'anecdote montre bien en quel sens s'exerçait le talent d'un des plus grands metteurs en scène du cinéma primitif, comment il cherchait moins à agir sur l'acteur (en modifiant son jeu par

1. André Malraux, *Esquisse d'une psychologie du cinéma*, Gallimard, Paris, 1946.

*Rio Jim, l'homme de nulle part* (The Silent Stranger) de William Hart et Cecil Smith sous la supervision de Thomas H. Ince (1915). Le tableau revu par les Américains : l'appareil conserve une position frontale mais se rapproche des interprètes cadrés (de façon assez large) en "plan américain" selon l'expression des Français de l'époque.

exemple) qu'à modifier son rapport avec le spectateur (en augmentant la dimension de son visage). Et elle rend sensible un fait que nous connaissons et oublions : des dizaines d'années après que les photographes les plus médiocres avaient pris l'habitude de photographier leurs modèles "en pieds", en mi-corps, ou d'en isoler le visage, il se trouva qu'oser enregistrer un personnage à mi-corps fut décisif pour le cinéma ». Ces gros plans, filmés dans le même axe que le tableau, étaient comparables à la vision donnée par les jumelles de théâtre. Dans un premier temps, ils furent des pièces ajoutées qui redoublaient l'action. Leur intégration dans la continuité du film nécessita l'acquisition de nouvelles habitudes, une modification du regard du spectateur.

## Deux films-phares

Les fruits de ces recherches et quelques autres, Griffith les mit à profit dans les deux « superproductions » qu'il produisit lui-même. *Naissance d'une nation* d'abord (1915) : « Et voici le film qui dans l'histoire du cinéma fait surgir, en apparence du néant, le cinéma moderne », affirma Henri Langlois[1]. Cette évocation de la guerre de Sécession brasse avec une générosité tumultueuse les matériaux d'une nouvelle écriture cinématographique précédemment expérimentés (l'échelonnement des plans du plan d'ensemble au gros plan, la création d'un espace spatio-temporel, le montage alterné et le montage parallèle, le suspense, le rythme) et met en lumière « la notion qui est la marque essentielle du Septième Art : celle du montage »[2]. *Intolérance* ensuite (1916) : ce « combat de l'amour à travers les âges » développe quatre intrigues situées à quatre époques différentes, les entremêle et les met en parallèle avec une audace stupéfiante (et parfois déroutante). Pour la première fois, un film était construit autour d'une idée et non autour du simple exposé d'un fait ou de la classique narration.

Griffith pratiqua avec réticence d'autres techniques qui constituent des leviers importants du montage à venir, le RACCORD DE REGARD notamment où le regard porté dans une image entraîne l'image suivante, celle du regardé. Ce type de raccord contredisait sa fidélité au tableau, figure centrale de son art comme le soulignent plusieurs commentaires très récents. « À l'époque de Griffith, des premiers films, des *Deux Orphelines* mais aussi de *Naissance d'une nation*, *Intolérance*…, il n'y a pas de quatrième côté », note Eric Rohmer[3]. « Il y a toujours l'idée de la scène, il y a des gros plans qui sont d'ailleurs mal raccordés. On ne s'intéressait pas tellement aux raccords. Mais c'est très beau, cette espèce d'ascèse, de minimalisme. » Ce que confirme et explique Thérèse

1. Henri Langlois, *300 années de cinématographie, 60 ans de cinéma*, catalogue de l'exposition du Musée d'Art Moderne, Cinémathèque française / FIAF, Paris, 1955, non paginé.
2. Op. cit.
3. Entretien avec Eric Rohmer, « Je voulais que la réalité devienne tableau », *Cahiers du cinéma*, n° 559, juillet-août 2001, p. 57.

*Rio Jim, l'homme de nulle part* (1915, voir p. 17). Ince reprit les découvertes de Griffith qu'il appliqua avec la plus grande économie. Pour se rapprocher de ses personnages, il utilisa le raccord dans l'axe (du moins dans un axe parallèle à l'axe initial).

Giraud[1] : « Si Griffith est celui qui "invente" le montage comme écriture narrative, le montage ne préside pas encore à l'élaboration des plans, c'est-à-dire au découpage. Même *Naissance d'une nation* est plein de ce qu'on appelle aujourd'hui des faux raccords (de regards, d'axe, de lumière) parce que les plans n'avaient pas été filmés en fonction de leur invisible raccord. Bien au contraire, ils étaient, pour la plupart, composés, et même subtilement composés, en tableaux autonomes. »

Le dynamisme et l'invention de *Naissance d'une nation* et d'*Intolérance*, leur dimension exceptionnelle, marquèrent les vrais débuts du cinéma américain. L'influence de ces films, la place qu'ils accordaient à la notion nouvelle du montage, eurent un retentissement non moins important au niveau mondial : Carl Dreyer au Danemark, Abel Gance en France, reconnurent leur dette. Quant aux tout jeunes cinéastes de la nouvelle Union Soviétique, ils furent littéralement éblouis.

1. Thérèse Giraud, *Cinéma et technologie*, PUF, Paris, 2001, p. 132.

Erich von Stroheim à la table de montage : « La vraie technique vient tout naturelle-
ment ; elle doit s'appliquer à l'action. »

# Chapitre 2

# Les images entre elles

## Les Soviétiques et l'arme du montage (Russie, années 20)

### Le primat du montage

Les cinéastes soviétiques réclamaient une « révolution dans l'art » parallèle à la révolution politique et sociale qui venait de s'opérer dans leur pays. Plusieurs mouvements d'avant-garde se développèrent autour du poète Maïakovski, chef de file d'un courant futuriste. Pour ces jeunes révolutionnaires, le summum de la modernité était curieusement le « modèle américain » avec son culte de la machine et de la vitesse, ses rythmes frénétiques, ses films burlesques, ses « serials »… et surtout ce moyen d'expression tout neuf : le MONTAGE.

*Ciné-œil* de Dziga Vertov (1924). Monteur d'actualités dès 1918, Vertov refusait avec véhémence les artifices de la fiction pour s'attacher à « la vie [saisie] à l'improviste ». Nous sommes dans un fournil ; les employés préparent la pâte à pain avant de l'enfourner.

Griffith était un pragmatique poussé à l'invention par le souci premier de raconter une histoire. Au contraire, les nouveaux cinéastes soviétiques étaient des théoriciens. Tout les y conduisait : l'esprit avant-gardiste qui n'aime rien tant que les manifestes, l'engagement révolutionnaire soucieux de justification, la rareté même de la pellicule qui affectait alors le pays et encourageait à tourner et à retourner les idées avant de tourner la manivelle. Il est également frappant de constater qu'au-delà d'inévitables divergences, tous les textes théoriques s'entendaient pour célébrer, non sans quelque excès, ce qu'ils considéraient comme le « nerf de la guerre » du langage cinématographique : le montage.

## La démultiplication du point de vue

« La présentation théâtrale est la présentation d'une scène la moins avantageuse, la moins économique », affirmait Dziga Vertov dans son mani-

feste *La Révolution des Kinoks* (1923). À l'unicité du tableau (ou de la
« vue ») le futur auteur de *L'Homme à la caméra* (1929) substituait
l'ubiquité du « ciné-œil », au « procès-pictural » figé il opposait la
démultiplication du point de vue : « J'impose au spectateur de voir
tel ou tel phénomène visuel de la façon que je trouve la plus avantageuse. L'œil se soumet à la volonté de la caméra, il est dirigé par elle
sur les mouvements consécutifs de l'action. » Dans le cas du filmage
d'un combat de boxe ou d'un spectacle de ballet, Vertov soulignait qu'on
ne peut pas reprendre le point de vue du spectateur qui assiste « en
direct » à ces spectacles : « Le système des mouvements consécutifs exige
une prise de vue des danseurs ou des boxeurs exposant leurs procédés dans l'ordre de leur succession et de leur organisation, forçant l'œil
du spectateur à se déplacer sur cette suite de détails qu'il est nécessaire
de voir. *La caméra entraîne les yeux du ciné-spectateur* des mains aux pieds, des
pieds aux yeux et à tout le reste, dans l'ordre le plus avantageux, et organise les détails en une étude de montage ayant ses règles strictes. »[1]
Le tournage consistait à accumuler les PLANS photographiés sous différents angles. Le montage orchestrait ensuite ce matériel en recher-
chant un ordre, des assemblages et des points de coupe. La succession
des plans donnait le sens du film et imposait au spectateur le discours
du réalisateur.

## L'unification des points de vue

Dans le cadre de ses activités formatrices, le cinéaste Lev Koulechov se
livra à un certain nombre d'expériences sur le montage qui ont laissé
des traces dans les esprits, sinon dans les cinémathèques. Nous évo-
quons plus loin la plus célèbre, celle de l'« effet-K » (voir en page 66).
Celle qu'il estimait la plus intéressante était « la création d'une femme
qui n'a jamais existé. J'ai réalisé cette expérience avec mes élèves. Je
tournais la scène d'une femme à
sa toilette : elle se coiffait, se fardait,

1. In Georges Sadoul, *Dziga Vertov*, Éditions
Champ Libre, Paris, 1971, p. 74 et 75.

*La Grève* de S.M. Eisenstein (1925). Le « montage des attractions » : le sang des hommes hardiment rapproché du sang des bêtes (voir p. 26).

mettait ses bas, ses souliers, passait sa robe… Et voilà : je filmais le visage, la tête, la chevelure, les mains, les jambes, les pieds de femmes différentes, mais je les montais comme s'il s'agissait d'une seule femme et, grâce au montage, j'arrivais à créer une femme qui n'existait pas dans la réalité, mais qui existait réellement au cinéma. »[1] À la façon du bon docteur Frankenstein, le cinéaste reconstituait le corps d'une femme – induction du corps du film – à partir de fragments disparates…

Cette expérience n'est pas aussi futile qu'on pourrait d'abord le penser. Si le montage est en mesure de reconstituer un sujet à partir de plans de celui-ci éclatés par le découpage, il peut aussi créer un sujet composite en assemblant des plans hétéroclites (un minimum d'indices doit cependant favoriser le rapprochement en masquant l'artifice : ainsi les plans doivent RACCORDER, c'est-à-dire présenter des points communs).

L'expérience a trouvé depuis d'innombrables applications dans les films de fiction : tel personnage de pianiste apparaît avec le visage d'un comédien célèbre, mais ce sont les mains d'un virtuose que nous voyons courir sur les touches du piano ; une actrice refuse de révéler un détail de son anatomie et c'est une doublure qui se dévoile à sa place. Même un auteur aussi scru-

1. Lev Koulechov, in Luda et Jean Schnitzer, Marcel Martin, *Le Cinéma soviétique par ceux qui l'ont fait*, Les Editeurs français réunis, Paris, 1966, p. 66 et 67.

*Le Cuirassé Potemkine* de S.M. Eisenstein (1925). Histoire de lorgnons : tour à tour arrogants et dérisoires (voir p. 28).

puleux que Bresson s'est livré à ces jeux illusionnistes en prêtant ses mains et son écriture au curé d'Ambricourt (*Journal d'un curé de campagne*, 1951).

## Eisenstein et le « montage des attractions »

Personnalité dominante du cinéma soviétique, théoricien prolixe, Serge M. Eisenstein a consacré une bonne partie de son œuvre à célébrer les vertus du montage. Le détail de sa pensée, évolutive en ce domaine, ne peut être résumé en quelques lignes mais son essence tient en cette idée simple : « La juxtaposition de deux fragments de film ressemble plus à leur *produit* qu'à leur somme. Elle ressemble au produit, et non à la somme, en ce que le *résultat de la juxtaposition* diffère toujours qualitativement [...] de chacune des composantes prises à part. »[1]

Dans ses premiers longs métrages, Eisenstein souhaitait « façonner » le public à l'aide de ce qu'il appelait le « ciné-poing ». Il adapta pour l'écran le procédé du « montage des attractions » qu'il avait expérimenté à la scène sous l'influence de son maître Meyerhold et dans le cadre de ses spectacles d'« agit-prop ». Il voulait provoquer chez le spectateur une émotion violente en accolant des images fortes, *a priori* sans lien contextuel, sans relation narrative.

1. Serge Eisenstein, *Réflexions d'un cinéaste*, Éditions en langue étrangères, Moscou, 1958, p. 69.

Dans *La Grève* (1925), les images de la répression tsariste contre les gré-
vistes d'une usine métallurgique étaient juxtaposées à celle d'animaux
égorgés dans un abattoir ; aucun lien, ni géographique, ni narratif, ne
reliait les deux actions. Dans *Octobre* (1927), les discours verbeux des
Mencheviks étaient entrelardés de gros plans de mains de harpistes sou-
lignant la vanité et le caractère lénifiant des propos tenus, sans que la
présence insolite de ces instruments et de ces instrumentistes ne trouve
une quelconque justification. On a beaucoup glosé il y a cinquante ans
sur ces coups de force du réalisateur-monteur tout-puissant qui « trans-
gress[ai]ent le réel pour n'en plus faire qu'une figure de rhétorique
vidée de son contenu vivant. »[1] Mais les figures de style décriées font
parfois des retours inattendus. Il arrive au montage contemporain de
faire appel, dans des contextes certes très différents, à ces formes longtemps jugées maladroites ou périmées : brèves « images mentales » insé-
rées dans la continuité du récit (voir *Shining*, Stanley Kubrick, 1980) ou
COLLAGES à la façon de Jean-Luc Godard...

## Potemkine, apogée du montage eisensteinien

Sans abandonner complètement le principe du « montage des attractions », l'auteur du *Cuirassé Potemkine* (1925) en affina la forme. Chez lui,
l'assemblage de deux plans induisait la « collision » plus que l'union
généralement recherchée dans le film narratif traditionnel. L'idée nais-
sait du choc : « Si le montage doit être comparé à quelque chose, les
collisions successives d'un ensemble de plans peuvent être comparées
à une série d'explosions dans un moteur d'automobile ou de tracteur.
Comme celles-ci impriment le mouvement à la machine, le dynamisme
du montage donne l'impulsion au film et le conduit à sa finalité expressive. »[2]

1. Jean Mitry, *S.M. Eisenstein*, Éditions
Universitaires, Paris, 1955, p. 48.
2. Sergei Eisenstein, Film Form, Meridian
Books, New York, édition de 1957, p. 38.

Eisenstein maniait avec éloquence un
principe, le *détail pour le tout*, et un procédé, le *gros plan*. Au début du *Cuirassé*

*Le Cuirassé Potemkine* de S.M. Eisenstein (1925). À bord du cuirassé les marins font la vaisselle. L'un d'eux, pris de fureur, casse une assiette marquée : « Donnez-nous aujourd'hui... ». Le geste brisé en plusieurs plans très brefs annonce le *fast cut* contemporain.

28

*La Fin de Saint-Pétersbourg* de Vsevolod Poudovkine (1927). L'usage intensif du gros plan – une image au contenu simple, facile à lire – permet au cinéaste de bien contrôler son discours et de diriger étroitement le spectateur.

*Potemkine*, le gros plan sur la viande avariée grouillante de vers sur laquelle se posent les lorgnons du médecin major est une claire induction de la situation politique : l'« attraction » trouve ici toute sa justification en étant intégrée au cadre de l'action. Un peu plus tard, alors que l'insurrection des marins bat son plein, nous voyons les mêmes lorgnons se balancer accrochés à un cordage et cette seule image un peu dérisoire est une séduisante ellipse pour nous faire comprendre que le médecin major a été jeté à l'eau. Quant à la scène universellement célèbre de l'escalier d'Odessa (voir en page 68), elle constitue une sorte de manifeste du montage eisensteinien coordonnant tous les mécanismes de l'émotion jusqu'à faire naître l'« idée », la nécessité de la révolte.

L'autre apport d'Eisenstein qui le place aujourd'hui encore à l'avant-garde, réside dans la liberté qu'il apportait à ses raccords : le soldat lève son sabre (l'amorce du geste), le visage d'une femme déchiré par une balafre sanglante (le résultat de ce geste) ; un marin fou de rage brandit plusieurs fois une assiette pour la casser (la répétition du geste par le redoublement des plans apporte une force surprenante à la scène). Chez Eisenstein, le montage ne cherchait pas de justification réaliste, il résidait dans une puissante et sèche volonté d'expression. « Un film d'Eisenstein ressemble à un cri, un film de Poudovkine évoque un chant », disait justement Léon Moussinac.[1]

## Le montage des films soviétiques au temps du muet

Auteur de quelques classiques du cinéma muet, Vsevolod Poudovkine publia en 1926 *La Technique du film*[2]. Ce traité faisait le point de ses recherches et de ses travaux et de ceux de ses compatriotes qui, reprenant l'héritage de Griffith, le radicalisèrent, le perfectionnèrent, le systématisèrent, et l'adaptèrent à leur préoccupations. Poudovkine détermina ainsi quelques concepts et quelques principes qui ont le mérite de faire le point sur le montage tel qu'il était pensé et pratiqué par les Soviétiques au temps du muet : fragmentation de la scène, liberté des angles et des distances, création d'un espace et d'une temporalité du film, prise en main du spectateur. On en trouvera plus loin les grandes lignes (voir en page 70).

Etrange retour des choses, le traité de Poudovkine fut traduit en Anglais[3] et devint « un texte de référence des réalisateurs anglo-saxons »[4]. Les recherches très engagées et « formalistes » des réalisateurs soviétiques contribuèrent ainsi à former la réflexion et la pratique – politiquement et artistiquement beaucoup plus prudentes ! – des réalisateurs américains et britanniques. Elles contribuèrent également à mettre en place aux Etats-Unis puis dans le monde les grands principes du découpage et du montage classiques, fondements du nouveau mode de représentation des images photographiques animées. L'axe Hollywood-Moscou-Hollywood a bien existé !

1. Léon Moussinac, *Le Cinéma Soviétique*, N.R.F. / Gallimard, Paris, 1928, p. 161.
2. Vsevolod Poudovkine, *Kinoregisseur i kinomaterial, Kinopetchat'*, Moscou, 1926.
3. *Pudovkin on Film Technique*, Victor Gollancz, Londres, 1929. Repris dans *Film Technique and Film Acting*, Lear, New York, 1949 ; notre édition : Grove Press, New York, 1970.
4. Jacques Aumont et Michel Marie, *Dictionnaire théorique et critique du cinéma*, Nathan, Paris, 2001, p. 145.

*Napoléon* d'Abel Gance (1927). Le comble du montage court : un plan, un photogramme !

# Moyen d'expression ou instrument narratif ? (France, 1918-1928)

## Gance et « la musique des images »

Le premier cinéaste français à tirer parti des leçons de Griffith fut Abel Gance. Seul parmi ses pairs, Gance avait eu l'occasion de découvrir *Naissance d'une nation* au cours d'un voyage à Londres en 1915 (le film était alors interdit en France). *La Dixième Symphonie*, qui sortit quelques jours avant la signature de l'armistice de 1918, marqua en France une rupture avec le mode de représentation primitif. Ce sombre drame bourgeois ouvrait les voies du cinéma moderne. Un découpage subtil jouait sur une large gamme de plans et sur une mise en place souvent heureuse des interprètes. Un montage habile, travaillé et fluide rompait avec la morne écriture des films français. Comme toujours chez Gance, le gongorisme de l'inspiration voisinait avec le bonheur de l'exécution : le

montage alternait tantôt la séche-
resse des coupes, les ellipses, les
raccords dans le mouvement et le
croisement des regards, tantôt le
brassage hardi des images à la
recherche de correspondances
musicales.

Cependant, comme chez Griffith,
l'emprise du tableau continuait à
marquer son film de façon réma-
nente, comme elle marqua encore
ses principales œuvres muettes
(*J'accuse*, 1919 ; *La Roue*, 1922 ;
*Napoléon*, 1927) et laissa même des
traces archaïques dans ses films
sonores. Si le cinéaste usait allè-
grement de la variation des gros-
seurs de plans, l'angle de la caméra
ne s'éloignait qu'avec réticence
de la visée à « hauteur d'homme »
et de la perpendiculaire par rapport
au décor.

## Le montage court

Par ailleurs, Gance renouvela une
technique également inspirée de
Griffith, le MONTAGE ACCÉLÉRÉ. Dans
*La Roue*, Sisif (sic !), rendu fou par
sa passion amoureuse, pousse à
l'extrême la vitesse de sa locomotive. Cette scène est traitée à

l'aide d'une série de plans plusieurs fois répétés : vues prises de la cabine de conduite, plans rapprochés de Sisif et de son chauffeur ; gros plans des roues et des bielles en action, plans de rails qui défilent, plans de la cheminée crachant de la fumée, gros plans du tachymètre... « Après un premier montage en plans longs et variés, la sensation d'accélération du mouvement est obtenue par la réduction progressive du nombre de plans analytiques, puis leur orchestration harmonique dans une durée de plus en plus brève, jusqu'au moment où le chauffeur Mâchefer, enfin conscient du danger, réduit la vapeur. Alors, comme une respiration qui redevient normale, les plans s'allongent, ralentissent leur mouvement et c'est l'arrivée, calme, sereine, majestueuse. »[1]

Cette séquence du « train emballé » affirmait de façon spectaculaire les possibilités du montage. Elle fit grande impression sur le public et enthousiasma les jeunes cinéastes français comme Germaine Dulac : « Mouvements d'yeux, de roues, de paysages, noires, blanches, croches, combinaison d'orchestration visuelle : le cinéma ! Drame peut-être, mais drame conçu dans une forme absolument originale, loin des lois qui régissent la scène et la littérature. »[2] La séquence de MONTAGE RAPIDE fut dès lors l'exercice imposé de tout jeune cinéaste un peu ambitieux, soixante-quinze ans avant qu'elle ne devienne l'une des figures favorites du *clip* et du film d'action ! Quant à Abel Gance, il poussa l'expérience jusqu'à son point limite dans la séquence du chant de La Marseillaise au Club des Cordeliers de son *Napoléon* (1927) : au *climax* de ce MONTAGE COURT, chaque plan était réduit à un seul photogramme !

## Jean Epstein et le montage en liberté

Disciple d'Abel Gance, Jean Epstein fut le cinéaste (et théoricien) qui après son maître, mais de façon encore plus radicale, imposa en France les notions nouvelles de découpage et de montage. Dans *L'Auberge rouge* (1923) et *Cœur fidèle*

1. Roger Icart, *Abel Gance*, L'Âge d'homme, Lausanne, 1983, p. 142.
2. Germaine Dulac, conférence donnée le 7 décembre 1924, citée par Roger Icart, opus cité, p. 142.

*Cœur fidèle* de Jean Epstein (1923). Le montage rapide entraîne « le spectateur saisi de vertige dans le tourbillon de la fête foraine » (Henri Langlois).

(1923), son travail sur l'échelle des plans, et particulièrement sur les gros plans, est remarquable. Le cinéaste observe très librement les êtres et les choses sous les angles les plus variés et hors de la contrainte du regard humain. Ses gros plans d'objets et de matières délivrent une impressionnante photogénie. « L'objectif se penche de tous côtés, admirait René Clair[1], tourne autour des objets et des êtres, cherche l'image expressive, la surprise de l'angle de vision. Cette exploration des aspects du monde est passionnante. » L'intérêt de ces recherches réside dans leur absence de gratuité. Dans *Cœur fidèle*, la caméra n'est pas un témoin inerte, elle participe étroitement à l'action et exprime les états d'âme des personnages. La scène célèbre de la fête foraine, traitée comme il se doit en montage rapide, entrelace avec virtuosité des motifs et des thèmes visuels qui expriment avec une authenticité populaire assez rare sur l'écran de l'époque, le vertige de la jeune héroïne.

1. René Clair, à propos de *Cœur fidèle*, in *Théâtre et Comœdia illustré*, 1ᵉʳ février 1924, cité in Pierre Leprohon, *Jean Epstein*, Seghers, Paris, 1964, p. 160.

## Découpage et montage dans la production courante

Les metteurs en scène sans autre ambition que commerciale ne s'embarrassaient pas de telles subtilités. La majeure partie de la production française avait recours à un découpage élémentaire et à un montage réduit à sa fonction narrative utilitaire. Dans un premier temps, chaque scène était tournée dans son intégralité en plaçant l' « appareil face au décor, à la distance voulue pour avoir dans son champ tous les acteurs »[1] alignés en « rang d'oignons », sous la forme, donc, du tableau. Dans un deuxième temps, on tournait les « premiers plans » : l'opérateur approchait son appareil des principaux personnages pour les prendre « en buste, c'est-à-dire la physionomie très grossie »[2]. L'angle de prise de vues était identique ou parallèle à celui de l'axe principal, c'est-à-dire perpendiculaire au décor. Le montage consistait ensuite à choisir les éléments proches ou éloignés les plus aptes à exprimer les différents moments de la scène.

Dans le cas d'une conversation entre deux personnages filmée en plans rapprochés, nous n'avions pas encore l'opposition de deux angles comme dans ce qui deviendra le classique CHAMP-CONTRECHAMP, mais deux axes parallèles et deux champs contigus – un CHAMP CONTRE CHAMP en quelque sorte ! Les interprètes se présentaient de profil et dirigeaient leurs regard dans une totale latéralité, l'un vers la droite, l'autre vers la gauche (voir en page 74, angles 1 et 1A).

1. Jacques Faure, « Comment on tourne un film au studio », in *L'Entretien et l'exploitation du cinéma*, Éditions de *Sciences et voyages*, Paris, s.d. (1924), p. 67.
2. Opus cité, p. 68.
3. On verra qu'il n'en fut pas de même aux Etats-Unis. En France, on cite les noms de Marguerite Beaugé pour les films muets d'Abel Gance ou de « Madame Oswald » pour *Passion de Jeanne d'Arc* de Carl Dreyer (1928). Compte tenu de la forte personnalité des deux cinéastes, il y a tout lieu de penser que ces dames furent, au mieux, des assistantes, au pire de simples préposées au collage du positif...

## Qui fait quoi ?

Le métier de monteur, au sens où nous l'entendons aujourd'hui de *métier de création*, naquit assez tard et n'apparut vraiment, du moins en France[3], qu'avec le cinéma sonore. Au temps du muet, les monteurs

*Gardiens de phare* de Jean Grémillon (1929). Le montage très lyrique donne au film un caractère presque musical.

(presque toujours des monteuses) furent des ouvriers (des ouvrières) sans initiative qui collaient « aux marques » ou suivaient les indications d'une « conduite ». Le travail « créateur » était effectué soit par le réalisateur lui-même (Raymond Bernard, René Clair, Jean Epstein, Jacques Feyder, Abel Gance, Jean Grémillon), soit, cas fréquent, par l'opérateur (Maurice Champreux pour Feuillade), soit par l'assistant-réalisateur (André Cerf pour certains Renoir), soit par un collaborateur extérieur au film (Jean-Louis Bouquet pour Fescourt). Un tel travail comportait également la responsabilité de la rédaction et de la mise en place des « cartons » (les intertitres). Rappelons qu'en Grande-Bretagne Alfred Hitchcock entra dans la carrière en exerçant cette activité. Ce travail d'édition (qui justifie le mot anglais, *editing*), était effectué dans les conditions les plus frustes (voir en page 72).

# Hollywood fixe les règles
# (Etats-Unis, 1916-1928)

### Le pouvoir au bout des ciseaux

Les grands Studios américains virent le jour au moment même où la Première Guerre mondiale déchirait l'Europe. Leur souci fut d'organiser le travail pour mieux le contrôler. La gloire d'un réalisateur (*director*) comme Griffith indisposait les nouveaux maîtres. Plutôt que de subir le risque d'un *director-system* qui leur paraissait dangereux avec des réalisateurs qu'ils jugeaient encombrants, imprévisibles et dépensiers, ils préférèrent promouvoir les acteurs (*stars*), qu'ils pensaient pouvoir plus facilement maîtriser, et imposer le *star-system*. Le travail de fabrication des films fut divisé : préparation, réalisation, finition, chaque étape encadrée pour mieux dominer l'ensemble. Ils tentèrent de limiter le rôle du réalisateur à la « mise en scène » et même à la seule direction d'acteurs. Le poste de monteur fut d'abord créé pour assurer leur contrôle sur l'ultime étape de la fabrication du film. Certes, quelques réalisateurs réussirent à fidéliser leurs monteurs ou monteuses : Anne Bauchens, après avoir travaillé avec Thomas H. Ince dès 1916 à la Triangle, monta les films muets de Cecil B. DeMille à la Paramount. Mais la majorité des monteurs furent les mains armées de ciseaux envoyées par les Studios pour imposer leur loi, celle d'un *final cut*[1] sans partage. Les terribles épreuves que rencontrèrent les films d'Erich von Stroheim tout au long des années 20 sont révélatrices de ces pratiques, d'autant plus qu'ils eurent aussi à souffrir des ciseaux d'Anastasie, égérie des censeurs au pouvoir non moins redoutable...

### Le montage comme accomplissement du découpage

Onze années seulement séparent la sortie d'*Intolérance* et les premières vociférations du *Chanteur de jazz* (1927). Les réalisateurs américains

1. Le *final cut* est la « coupe ultime » qui symbolise l'autorité suprême sur le montage.

*Les Rapaces* (Greed) d'Erich von Stroheim (1925). Le mariage de MacTeague et de Trina Sieppe. Derrière le prêtre, par la fenêtre (cadre à l'intérieur du cadre) on aperçoit le lent défilé d'un cortège d'enterrement. L'ironie de Stroheim s'exprime dans un montage à l'intérieur de l'image, très en avance sur son temps, qui remplace efficacement le traditionnel montage alterné tel que le pratiquaient Griffith ou Eisenstein.

suivirent les brisées de Griffith. Les meilleurs d'entre eux, à la façon dont Méliès en son temps avait su mettre pleinement à profit le cadre archaïque du tableau, tirèrent un parti fertile de l'économie du moyen de représentation. Mais au lieu de s'abandonner à des formules paresseuses de « mise en film » (telle celles que nous avons décrites à propos de la production courante en France), ils effectuèrent un travail subtil privilégiant le découpage dont le montage assurait l'accomplissement. En témoignèrent des films encore tributaires du tableau revu par Griffith et en même temps magnifiquement aboutis : *Les Rapaces* (1925) de Stroheim, *L'Aurore* (1927) de Murnau, *LeVent* (1928) de Sjöström et les nombreux films burlesques de Mack Sennett, Harry Langdon, Buster Keaton et Charles Chaplin.

Les Studios ne refusaient pas les évolutions qui permettaient de rendre le moyen d'expression plus subtil et la narration plus facile à déchiffrer. L'influence des recherches soviétiques dans cet effort fut indéniable mais canalisée dans une direction contraire : aux effets volontiers provocants des premiers, les Américains opposaient une écriture aussi transparente que possible, au montage-choc jouant sur la collision, ils substituèrent un découpage sagace parachevé par un montage aussi invisible que possible.

À la différence des Soviétiques, les Américains ne développèrent pas de culte pour le montage : le montage était pour eux un instrument narratif plus qu'un procédé directement expressif ou démonstratif. Ils conservèrent ainsi une grande retenue quant à l'usage du montage court et du gros plan[1]. Mais ils dépensèrent une incontestable énergie à camoufler l'écriture derrière le rideau du naturel tout en allant très loin dans l'exploration intuitive des subtilités de l'expression visuelle. C'est ainsi que s'élabora entre 1920 et 1926 *le style classique du montage hollywoodien* qui constitua longtemps un modèle quasi universel et dont nous donnons maintenant les grands principes et les quelques règles.

## Le jeu avec le temps

Découpage et montage définissent les PLANS (suite continue de photogrammes obtenus en une seule prise et situés entre deux collures) qui s'unissent entre eux pour constituer des ensembles définis par une action unitaire : la SCÈNE (marquée par la continuité spatio-temporelle) et la SÉQUENCE (qui comporte des ellipses). Monter un film revient à organiser le temps en jouant sur l'élasticité des rapports entre le temps réel au tournage, le

1. Dans son ouvrage, *Film Style and Technology : History and Analysis* (Starword, Londres, 1983 et 1992), Barry Salt donne des indications révélatrices sur les durées moyennes des plans (« Average Shot Lenght » ou « A.S.L. ») : de 1912 à 1917, 9,6 sec. aux Etats-Unis, 15 sec. en Europe ; de 1918 à 1923, 6,5 sec. aux Etats-Unis, 8,6 sec. en Europe. La durée moyenne des plans du *Cuirassé Potemkine* d'Eisenstein est de 3 sec. !

temps représenté sur le film, le temps ressenti par le spectateur. Le temps du film est pensé par le découpage et déterminé par le montage qui organise la succession des plans et leur relation : continuité temporelle ou discontinuité ; ellipses brèves ou sautes importantes dans le temps ; jeu sur la chronologie (retour en arrière) ; morcellement rapide des plans, plan long fixe ou mobile ; coupe franche ou effets de liaison.

La temporalité du film est définie par des continuités et des ruptures. Dans les segments continus, les plans successifs correspondent assez bien aux mouvements d'attention successifs de la perception courante. Ils sont reliés par des coupes franches (parfois des enchaînés dans les films muets) et mettent en œuvre des raccords de regard ou de mouvement qui suturent les différents fragments.

Notons que la continuité temporelle peut s'accommoder de la diversité des lieux (montage alterné). Les ruptures de temps vont de la simple ellipse souvent suggérée par le contexte narratif à des durées plus importantes signifiées par un arsenal de moyens : fondu au noir suivi par un fondu d'ouverture, volet, bref montage rapide, rotation accélérée des aiguilles d'une horloge, effeuillage du calendrier. Le cinéma muet avait souvent recours aux facilités de l'intertitre dénoncées avec humour par Luis Buñuel avec les cinq cartons d'*Un chien andalou* (1929) : « Il était une fois… », « Huit ans après », « Vers trois heures du matin », « Seize ans avant », « Au printemps »…

La question essentielle du rythme ne peut se limiter à la simple métrique. La longueur d'un plan est une donnée complexe qui varie en fonction d'un nombre important de facteurs : « grosseur » relative, richesse iconographique et dramatique, lisibilité, mouvements internes et externes… Le rythme cinématographique est déterminé par un jeu sur la *durée ressentie* – brièveté, lenteur – en vue de créer délibérément frustration ou lassitude.

*Le Cirque* (The Circus) de Charlie Chaplin (1928). Parce qu'il se refusait à pratiquer un montage à effet, on a parfois cru que Chaplin se désintéressait de cette question. Il n'en est rien et la vivacité du tempo de ce film en témoigne éloquemment.

## Le jeu avec l'espace

Au cinéma, l'espace est un concept aussi ambigu que le temps. On distin-
gue *l'espace à filmer*, celui du décor où évolue l'acteur, *l'espace enregistré
par l'appareil*, c'est-à-dire le cadre, *l'espace du film*, celui suscité par le
découpage-montage avec la succession des plans. L'espace du film
naquit lorsque l'on pensa à substituer à l'angle monodirectionnel du
tableau des prises-de-vues utilisant des angles opposés. On prit d'abord
l'axe contraire (180°) dans une sorte de *tableau / contretableau* dont on
trouve des exemples dans les westerns de Thomas H. Ince ou *La Dixième
Symphonie* d'Abel Gance. Mais les échanges de regard étaient désagréa-
blement frontaux et la succession des plans ingrate. Plus tard, quand
on s'approcha des protagonistes en conversation en prenant un angle
par rapport à une ligne imaginaire recouvrant leur échange de regard

(la *eye-line*) pour mieux valoriser les yeux d'un personnage puis ceux de l'autre, il apparut que l'angle opposé de 180° ne permettait pas d'assurer le croisement de ces regards, les personnages semblant regarder dans la même direction (voir en page 74, angles 2 et 2A). D'où l'apparition de l'une des rares « règles » de la mise en scène cinématographique : dans le tournage d'un CHAMP-CONTRECHAMP, il importe de ne pas franchir la *ligne des yeux*. De façon plus générale, ce principe définit également les RACCORDS DE DIRECTION : si nous filmons un personnage qui traverse l'image latéralement de gauche à droite, un contrechamp à 180° inverse le sens du déplacement et donne le sentiment que le personnage revient sur ses pas. En prenant soin de ne pas franchir la ligne créée par le déplacement, la direction est respectée. Une autre « règle » est d'éviter des changements d'angles trop faibles (moins de 30°) lorsque l'on passe d'un plan à un autre à une même distance, tout changement insuffisamment franc donnant le sentiment d'une « saute ».

Ces « règles », élaborées empiriquement au long des années 20, ne furent pas reçues à l'époque comme des commandements lorsqu'elles furent connues. Si Lubitsch, très attentif à toutes les formes de relations entre les personnages, y porta une certaine attention, Borzage, champion de la diversité des angles, y attacha peu d'importance et ses films muets abondent en faux raccords de regards. En fait, elles ne s'appliquèrent vraiment à Hollywood qu'avec le développement du sonore.

Orson Welles à la table de montage
(1973) : « Le seul moment où l'on peut exercer un
contrôle sur un film est le montage [...]. C'est
toute l'éloquence du cinéma que l'on fabrique
dans la salle de montage. »

# Chapitre 3

# L'alliance du son et de l'image

## Le montage classique (1929-1958)

### Le montage et l'arrivée du cinéma sonore

L'arrivée du son, accueillie avec enthousiasme par les spectateurs, ne le fut pas par les maîtres de l'écran. Ils craignaient non sans raison un retour à la perspective scénique et l'anéantissement des recherches effectuées dans le domaine du découpage-montage[1]. Leurs inquiétudes n'étaient pas totalement infondées. Des films médiocres s'abandonnè-

1. Barry Salt (voir réf. à la note page 38) précise que la durée moyenne des plans à la fin du muet était de 5 sec. aux Etats-Unis (7 sec. en Europe). Elle passa à 10,8 sec. au début du sonore (1928-1933) et redescendit à la fin des années 30 à 8,5 sec. (12 sec. en Europe). De 1940 à la fin des années 80, la durée moyenne des plans des films américains varie dans une fourchette assez étroite : de 7 à 9,3 sec., à l'exception de la période de 1952-1957 marquée par la vogue du plan-séquence : 11 sec.

rent à un théâtre platement filmé. De façon plus générale, le seul dialogue devint durant deux ou trois décennies le support trop exclusif de la structure filmique, l'arête autour de laquelle s'articulait le découpage.

Deux films cependant montrèrent les formidables atouts de la nouvelle alliance audio-visuelle. Dans *Hallelujah* de King Vidor (1929), le spectateur est immergé dans un sublime bain sonore ou les *blues* et les *spirituals* semblent naître à l'état d'improvisation brute provoquant une forte émotion. L'exploit était d'autant plus remarquable que les extérieurs avaient été enregistrés sans son direct faute d'un appareil portatif et que le montage se fit sans matériel adapté (la *Moviola* sonore n'apparut que l'année suivante)…

*L'Ange bleu*, film allemand de l'Américain Josef von Sternberg (1930), anticipe avec intelligence l'utilisation expressive du son (malgré la pauvreté des moyens d'enregistrement de l'époque). Nous sommes dans la loge de l'ensorcelante Lola Lola (Marlene Dietrich), le jeu des ouvertures et fermetures de porte laisse entendre par intermittences la musique de la scène et l'ambiance de la salle sans que l'image elle même s'attache à ce détail. Avec Sternberg, les cinéastes découvraient que le son n'était pas qu'un dialogue tout puissant guidant synchroniquement une image réduite à la servilité, mais qu'il pouvait aussi être un moyen d'expression au même titre que les autres et sans leur nuire aucunement.

Le son achevait de concrétiser le « mode de représentation institutionnel », selon l'expression de Noël Burch[1]. Les principes spatio-temporels du découpage-montage, tels que nous les avons évoqués à la fin du précédent chapitre, ne connurent que des variations relativement mineures jusqu'à nos jours. La pratique du montage sonore (voir en page 76) évolua peu, même avec l'apport du son magnétique au cours des années 50, mais le montage virtuel la révolutionne depuis la fin des années 90 (voir en page 90).

1. Cf. note page 15.

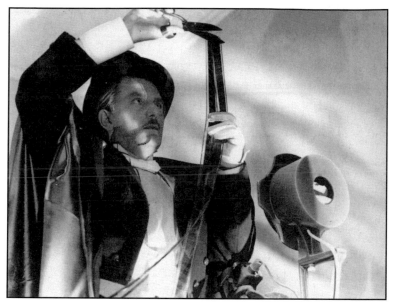

*La Ronde* de Max Ophuls (1950) avec Anton Walbrook, le meneur de jeu. Couper : Ophuls souligne avec humour que le geste décisif du monteur rejoint parfois l'acte criminel du censeur.

## Le métier de monteur

La complexité artistique croissante du montage et des manipulations techniques afférentes, l'abondance du matériel et les nécessités délicates du synchronisme imposèrent de façon définitive la présence d'un collaborateur spécialisé dans ces questions : le monteur. Aux Etats-Unis, il était le maître d'œuvre des travaux de finition du film sous la supervision directe du studio sauf dans les cas, exceptionnels à l'époque, où le réalisateur était son propre producteur et/ou disposait de ce sésame qu'était le *final cut*, le droit au montage.

En Europe, pour les films de quelque ambition, le chef monteur était considéré comme un collaborateur du réalisateur chargé de respecter ses intentions et placé directement sous son autorité, selon la formule qui prévaut aujourd'hui. Les conflits avec le pouvoir financier, très fréquents lorsque l'on parvenait au moment de la « coupe finale », furent partiellement réglés en France avec la loi sur les droits d'auteur de 1957.

## La transparence du montage classique hollywoodien

Dès le milieu des années 30, à Hollywood, le montage classique parvint à son apogée au point de devenir un modèle pour les cinématographies du monde entier. Étroitement *déterminé par le découpage*, il reposait sur quelques principes simples :

La forme narrative s'efforce à la simplicité : respect de la continuité, de la linéarité et des trois unités (action, temps et lieu).

Le développement narratif dicte la forme du film.

Les points de vue successifs du découpage intègrent le spectateur en lui donnant la meilleure vision possible de l'action.

Une ponctuation simple (fondus, enchaînés, volets) exprime le passage du temps.

L'ambiance sonore, les raccords (de mouvement, de regard), le ping-pong des champs-contrechamps donnent le sentiment de la continuité de l'action.

Comme les autres moyens d'expression, le montage s'efforce d'être invisible.

L'un des rares modes de montage qui renonce à cette TRANSPARENCE si intensément recherchée est justement ce qu'on appelle *montage* dans le vocabulaire technique américain : un bref assemblage de plans très courts utilisés entre deux séquences pour exprimer le passage du temps, une hallucination, le résumé partiel d'une carrière (ainsi les débuts lyriques de Suzan dans *Citizen Kane*). Ce montage à effet se situe curieusement dans la descendance du montage rapide des Russes, des Français et des films d'avant-garde...

*Citizen Kane* d'Orson Welles (1941). Un bel exemple de plan séquence jouant sur la profondeur de champ : la fixité du plan, sa durée, sa construction très élaborée, la circulation des regards, apportent une tension supérieure à celle qu'aurait créée le découpage-montage classique.

## Le montage classique en question

Tous les films américains n'assumèrent pas une telle transparence. Le cas le plus célèbre est celui du *Citizen Kane* d'Orson Welles, tourné en 1939 et sorti en 1941, qui apparut dans ce contexte – et dans plusieurs autres – comme une véritable provocation. Non seulement le réalisateur mettait en œuvre un montage parsemé d'effets voyants et une bande sonore éblouissante, non seulement il introduisait des plans particulièrement longs, mais il bouleversait la linéarité de la narration en procédant à une série de retours en arrière. À l'effacement du réalisateur que visait la recherche de l'invisibilité, Welles substituait l'affirmation provocante de l'AUTEUR. Son film fut de ceux, très rares, qui font naître d'autres films.

Les plans longs de *Citizen Kane* jouaient sur la profondeur de champ pour en tirer des effets graphiques et dramatiques comme ceux, contemporains, de William Wyler : on les appelait PLANS SÉQUENCES. Un travail très élaboré sur l'espace et la lumière les distinguait radicalement de la platitude du tableau. Une autre forme du plan séquence était le long plan en mouvement, généralement effectué à la grue ou à la *dolly*, tel que le pratiqua Otto Preminger dès *Laura* (1944), pour mieux traquer ses personnages et explorer leur décor. Ce plan permettait d'éviter le montage sans renoncer pour autant au découpage (en prenant découpage au sens large de partage de l'espace et pas seulement de partage du temps). Le succès de ce plan en mouvement dans les années 40 et 50 tint à des raisons diverses : artistiques d'abord, le passage d'un cadre à un autre ne s'effectuant pas par des collures mais par un glissement fluide, quasi onirique, de la caméra ; prosaïques aussi, le réalisateur plaçant au milieu d'un plan long les scènes qui lui tenaient à cœur et qui échappaient ainsi aux ciseaux du monteur.

Ce jeu sur la durée ne pouvait manquer de susciter le rêve d'un film en un seul plan, en une seule coulée. Alfred Hitchcock releva le défi avec *La Corde* (1948). Mais l'énorme caméra Technicolor n'acceptant pas plus de 300 mètres de pellicule, soit 11 minutes d'autonomie au maximum, il fallut, pour le tournage, diviser l'action continue du film en onze plans[1]. Les appareils de projection de l'époque, disposés en double poste, pouvant recevoir des bobines de 600 mètres, Hitchcock prévit, au sein de chacune des cinq bobines de projection, un raccord effectué sur le dos d'un personnage qui venait momentanément obturer l'écran. Entre chaque bobine, par contre, il était impossible de prévoir un tel raccord que la dégradation rapide des extrêmités de la pellicule aurait très vite compromis. La liaison se fit donc par simple champ-contrechamp.

1. La caméra numérique permet désormais de concrétiser ce rêve du plan unique. *Time Code* de Mike Figgis (Etats-Unis, 2000) pousse le « challenge » jusqu'à présenter en *split screen* quatre plans synchrones d'une heure trente au prix, il est vrai, d'assez nombreux temps morts…

*La Corde* d'Alfred Hitchcock (1948). Les longs plans séquence en mouvement attisent l'intensité de l'action et renforcent le sentiment du huis-clos.

Si nous nous sommes étendus sur cette expérience, c'est que ses conclusions sont révélatrices : en regardant ce film aujourd'hui, nous nous apercevons que les raccords ne passent pas inaperçus, notre attention étant attirée par le masquage inhabituel du champ ; à l'inverse les simples champs-contrechamps sont quasiment invisibles, même pour des spectateurs avertis, tant nous avons intégré ce jeu avec l'espace qui fut si difficile à mettre en place… Hitchcock tira les leçons de l'expérience en revenant au découpage-montage traditionnel qu'il pratiquait avec un art consommé (voir en page 84).

Au début des années 50, le montage eut également à subir la menace de l'écran large qui selon certains commentateurs devait aboutir à l'allongement des plans – mais il n'en fut rien. Enfin, il fut placé dans la ligne de mire de théoriciens qui l'examinèrent avec suspicion ou qui dénoncèrent, tel André Bazin dans son fameux article, *Montage interdit*, ses facilités d'utilisation (voir en page 82). Bref, le montage connut une sérieuse et nécessaire remise en question avant de rebondir dans les décennies suivantes.

## Le cinéma d'auteur et le montage

### Le modèle remis en cause

La belle mécanique du montage classique hollywoodien des années 30 et 40 fut longtemps considérée comme un achèvement quasi définitif. Le montage, étroitement lié au découpage, était l'un des rouages d'une écriture lisse et transparente qui, sans exclure ni l'invention, ni le brio de la mise en scène, imposait la discrétion du mode de représentation. Ce montage servit de modèle à toutes les cinématographies du monde, y compris au cinéma soviétique des années 30 à 60. Aujourd'hui encore, il inspire une partie de la production courante. Cependant des réalisateurs importants (ceux que l'on peut qualifier d'auteurs) y firent de sérieuses entorses. À Hollywood, Orson Welles (nous l'avons dit) et Alfred Hitchcock méprisèrent la TRANSPARENCE, mettant en avant la force de leur écriture personnelle.

### Quelques figures de style contestées

Cette remise en cause porta sur de nombreux procédés et effets relevant du montage et en particulier sur ceux concernant la continuité et la linéarité du récit. On dénonça les transitions factices : le camouflage permis par le PLAN DE COUPE lorsqu'il s'agissait d'un "plan de secours", le caractère désuet des longs FONDUS ENCHAÎNÉS qui annonçait un retour en arrière ou une traversée de la réalité au rêve : une coupe franche et une bande sonore bien placée, un mouvement d'appareil envoûtant à la façon de Kenji Mizoguchi dans *Les Contes de la lune vague après la pluie* (1953), suggéraient tout aussi bien le passage. La figure de style la plus

*Jour de colère* (Vredens Dag) de Carl Th. Dreyer (1943). Dans ce contrechamp à 180°, les positions des deux personnages sont inversées d'un plan à l'autre (contrairement à la « règle » classique) mais n'affectent pas la lisibilité de la situation.

controversée fut sans conteste le CHAMP-CONTRECHAMP, très utilisé dans le cinéma classique pour filmer notamment une conversation à deux personnages (voir en page 74). Sans remettre en cause la « règle » des directions de regard (elle est aujourd'hui respectée par la quasi totalité du cinéma mondial, même si certains auteurs y ont attaché une importance inégale de Carl Dreyer[1] à Clint Eastwood), on reprochait, du point de vue de la mise en scène, la facilité paresseuse de ce ping pong visuel. Il est amusant d'observer les solutions plus ou moins inventives des cinéastes utilisées pour éviter d'avoir recours à la figure décriée : simple plan de profil des deux personnages, mouvement d'appareil, mise en place sophistiquée…

## Les figures valorisées

D'autres procédés peu goûtés du montage classique furent au contraire valorisés : le PLAN SÉQUENCE (nous l'avons déjà évoqué) ; le MONTAGE ÉCLATÉ (nous y reviendrons) ; les effets de MONTAGE CHOC utilisant volontiers le son (le cri strident du cacatoès placé en tête de la

1. Le cas de Dreyer est curieux : sa *Passion de Jeanne d'Arc* (1928) respecte scrupuleusement les directions de regards ; le film repose même sur cette relation entre Jeanne et ses juges. *Jour de colère* (1943), film formellement très accompli, est par contre assez désinvolte sur cette question et comporte beaucoup de contrechamps à 180°. Mais les inversions de sens des personnages sur l'écran ne nuisent pas à la compréhension et ne semblent pas perturber le spectateur…

*À bout de souffle* de Jean-Luc Godard (1960). Dans cette scène traitée en champ-contrechamp, les personnages étant vus de dos, Godard a retiré tous les plans concernant Michel (Jean-Paul Belmondo) pour ne conserver que les plans sur la nuque de Patricia (Jean Seberg) : la continuité de la scène est ainsi brisée par onze sautes *(jump cuts)*

séquence du départ de Susan et de la colère de son mari dans *Citizen Kane* ; en Europe, le procédé fut repris notamment par Juan Antonio Bardem dans *Mort d'un cycliste*, 1955) ; le JUMP CUT, saut consécutif à une coupe effectuée à l'intérieur d'un plan, dont on trouve des exemples célèbres dans *Les Quatre cents coups* (1959) de François Truffaut (série de plans sur Antoine Doinel interrogé par l'assistante sociale) et *À bout de souffle* (1960) de Jean-Luc Godard (série de plans sur la nuque de Patricia dans une voiture).

### « Montage mon beau souci »

Une légende veut que Jean-Luc Godard, constatant que le premier montage d'*À bout de souffle* dépassait d'une demi-heure la durée souhaitée

Depuis 40 ans, Jean-Luc Godard a profondément renouvelé l'art du montage. On le voit ici en compagnie d'Agnès Guillemot (sa collaboratrice pour onze films) lors du montage de *Made in U.S.A.* (1966).

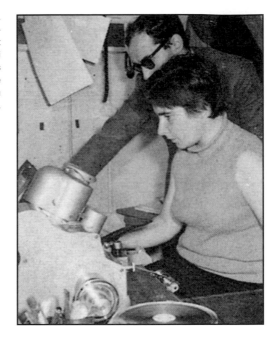

pour son film, ait coupé systématiquement quelques images en tête et en queue de chaque plan au lieu de sacrifier des scènes entières selon la pratique habituelle. Cette légende est révélatrice des réactions des « professionnels de la profession » de l'époque, qui accusaient Godard de tous les maux car il s'attaquait frontalement à une des « règles » fondamentales du montage classique : le RACCORD qui se devait d'être juste et invisible.

L'examen attentif d'*À bout de souffle*[1] nous prouve que son montage ne relève aucunement du hasard. Godard n'était pas un novice en ce domaine et surtout il avait été très impressionné par le film ethnographique de Jean Rouch, *Moi, un noir*

1. Voir à ce sujet l'étude critique de Michel Marie, *À bout de souffle*, collection Synopsis, Nathan, Paris, 1999, p. 65 et suivantes.

(1959) tourné en dehors des normes traditionnelles de la continuité filmique. Par ailleurs, le tournage d'*À bout de souffle*, largement improvisé, sans découpage préalable, affranchissait le montage de toute contrainte préalable. Godard joua l'audace des coupes, cultiva l'ellipse et donna au film son style inimitable, rapide et syncopé.

Mais, insistons sur un point : la rupture avec le raccord classique ne signifie pas l'assemblage arbitraire des plans tel qu'on le trouve par exemple dans les clips. Ainsi Godard utilise le raccord de mouvement, traditionnellement destiné à établir la continuité spatio-temporelle de l'action, pour relier deux scènes distinctes et donner du dynamisme à leur succession : Michel Poicard amorce dans la première un geste qu'il achève dans un espace différent et à un autre moment. Avec une ingénuité non feinte, Godard prouvait que le montage n'obéissait obligatoirement ni aux pressions du découpage, ni à des « règles » qui n'étaient souvent que des habitudes, mais qu'il devait être réinventé pour les besoins de chaque film.

### Le collage, la « collure rapide »

*À bout de souffle* cultivait l'art de l'esquisse, de l'improvisation allègre et de l'air du temps. *Hiroshima mon amour* (1959) jouait au contraire la carte d'une structuration complexe et d'une forme soigneusement élaborée. Inspiré par *Citizen Kane* (et par *Intolérance* ?), Alain Resnais, qui fut et reste un remarquable monteur, y abandonnait les rivages confortablement balisés du récit classique pour orchestrer à la façon d'une partition musicale une série de motifs hétérogènes jusqu'à les brasser étroitement dans la dernière partie du film. Mais le principal apport de l'auteur de *Nuit et Brouillard* (1956) tint dans la hardiesse de ses COLLAGES (au sens pictural du terme). Resnais mêlait les images documentaires de la tragédie d'Hiroshima à une histoire d'amour contemporaine et aux souvenirs mal éteints de Nevers qui surgissaient du passé de l'héroïne. Dès *Une femme mariée* (1964), Godard pratiqua des

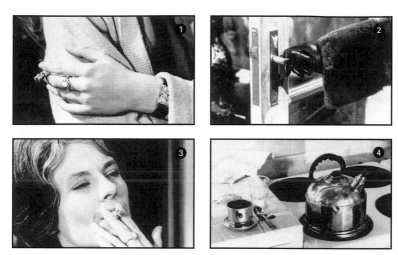

*Muriel* d'Alain Resnais (1963). Quatre gros plans de la scène introductive. Pour Resnais, le montage n'est plus le simple instrument de la narration mais l'élément essentiel de la construction esthétique.

effets de collage dans presque tous ses films. À l'opposé du cinéma d'auteur de Resnais et de Godard, l'autre étape marquante du montage contemporain apparut avec les deux films de Sam Peckinpah : *La Horde sauvage* (1969) et *Chiens de paille* (1971). La violence paroxystique de ces films utilisait tous les mécanismes du montage court : FAST CUT (surdécoupage d'un simple mouvement en une série de plans très brefs), JUMP CUT frénétique. L'usage paradoxal du RALENTI permettait de mieux faire ressortir la fréquence délirante des effets. On retrouve de larges traces de ce style exacerbé dans les films d'action et dans la production commerciale contemporaine.

## Mettre au jour le film

On aurait tort de croire que le montage se résume à quelques effets et à quelques procédés et à une sorte de mécano qui consiste à assembler aussi bien que possible un ensemble de pièces. On aurait tort de croire, nous l'avons vu, à une sorte de « mode d'emploi » gouvernant étroitement la besogne. Les quelques « règles » que les chefs monteurs transmettaient à leurs assistants[1] ne sont que des recettes parfois contestables. En fait, le travail du monteur, entrepris dans une collaboration très étroite avec le réalisateur[2], dépend de ses yeux, de ses oreilles, de son jugement et bien entendu du matériel dont il dispose.

Ce travail consiste à sortir le film des limbes où l'ont caché le tournage, de le dégager d'un territoire incertain, à la façon dont les explorateurs exhument de l'humus les cités mayas perdues au cœur de la forêt vierge. La structure d'ensemble, l'ordre définitif des séquences, leur relation, les coupes et allégements nécessaires, l'incessant déplacement du particulier au général et du général au particulier, un petit détail pouvant avoir des répercussions sur l'ensemble, entraînent des recherches et des essais d'autant plus longs et difficiles qu'aucun storyboard ou découpage de fer ne vient contraindre la liberté du montage et par delà celle du film (voir en page 86). « Il est profitable que ce que tu trouves ne soit pas ce que tu attendais. Intrigué, excité par l'inattendu. »[3]

1. Quelques exemples : dans un raccord de mouvement supposant un franchissement d'espace, ainsi la fermeture d'une porte nous faisant "sauter" d'une pièce à une autre, le raccord exact ne donne pas le sentiment d'un raccord juste et il est nécessaire de supprimer quelques images ; dans une conversation traitée en champ-contrechamp, il est préférable de couper l'image de celui qui parle pour passer sur celui qui écoute juste avant qu'il ne prononce sa dernière syllabe ; dans le passage d'une séquence à une autre, il est bon d'amorcer l'ambiance sonore de la séquence à venir un peu avant l'arrivée de l'image ; etc…

2. Il convient de noter la collaboration étroite qui a uni certains réalisateurs, à une période donnée de leur œuvre, avec un monteur : Jean Renoir et Marguerite Renoir puis Renée Lichtig ; Howard Hawks et Christian Nyby ; John Ford et Jack Murray ; Alfred Hitchcock et George Tomasini ; Robert Bresson et Raymond Lamy ; Roberto Rossellini et Eraldo Da Roma puis Jolanda Benvenuti ; Luchino Visconti et Mario Serandrei puis Ruggero Mastroianni ; Michelangelo Antonioni et Eraldo Da Roma ; Federico Fellini et Ruggero Mastroianni ; Jean-Luc Godard et Agnès Guillemot ; François Truffaut et Agnès Guillemot puis Yann Dedet et Martine Barraqué ; Martin Scorsese et Thelma Schoonmaker ; Maurice Pialat et Yann Dedet ; Roman Polanski et Alaistair McIntyre puis Sam O'Steen et Hervé de Luze ; John Woo et David Wu…

3. Robert Bresson, *Notes sur le cinématographe*, Gallimard, Paris, 1975, p. 115.

Sacha Guitry : quand la table de montage devient table de nuit... « Le montage d'un film est chose délicate » (générique parlé de *La Poison*, 1951).

# Les libertés
# du montage virtuel

En 1981, Jean-Pierre Beauviala, inventeur et constructeur de la caméra Aäton, posait avec une étonnante prescience les principes du montage virtuel : « Dès que les images seront sur disque avec accès instantané à n'importe laquelle d'entre elles, alors le prémontage, la recherche d'un raccord, l'insertion d'un plan à l'intérieur d'un autre, le raccourcissement d'un plan antérieurement monté, tout cela deviendra possible. À aucun moment le "montage" ne sera reporté sur un support physique, ce n'est qu'en fin de travail que les données enregistrées dans la mémoire de l'ordinateur serviront à construire le *master* définitif ».[1]

Depuis 1990, le montage virtuel s'est introduit en France, participant au vaste mouvement de numérisation qui secoue toutes les autres techniques du cinéma, de la prise de vues à la diffusion sonore (voir page 90). Pour le réalisateur et le chef-monteur le

1. *Entretien avec Jean-Pierre Beauviala*, par Jean-Jacques Henry, in *Cahiers du cinéma*, n° 325, juin 1981, p. 94.

changement du mode de travail est radical. À la lente et minutieuse patience se substitue le vertige d'un choix illimité simple et immédiat. Mieux, le montage virtuel déborde l'assemblage des images et des sons et s'insinue à l'intérieur même des plans. Recadrages, déformations de l'image, modification de la fréquence, de la lumière et des couleurs, enchaînement des plans : tous les moyens sont là pour transformer artificiellement l'image – sans oublier les truquages qui dans un "laboratoire numérique" ne sont jamais loin.

Ces perspectives nouvelles sont fascinantes. Elles peuvent être mises de façon très profitable au service du meilleur, elles peuvent aussi emprunter le large boulevard de la facilité en remplaçant la réflexion par la rapidité de l'action, le montage réfléchi par la simple accumulation des plans, la netteté du mouvement et la coupe précise par la gratuité d'effets néo-maniéristes – excès des ralentis, du montage rapide, des enchaînés – qui tendent à dénaturer l'image au profit d'une bouillie visuelle incertaine. De telles perspectives posent des questions fondamentales à tous les admirateurs d'un art qui se fondait jusqu'à présent sur les contraintes d'une re-présentation à l'identique difficilement arrachée aux apparences.

Depuis l'apparition des premières photographies en mouvement, le regard du spectateur a changé : il s'est habitué à sauter d'un point de vue de la caméra à un autre, à reconstituer la géographie d'un lieu à partir de la suite des plans et de la suggestion des sons ; il s'est accoutumé à déterminer le passage du temps derrière la succession des images ; il a appris à lire une histoire, à repérer des idées et à apprécier l'architecture formelle d'un film en observant l'arrangement des images et des sons. On a cru un temps que le montage classique apportait une solution définitive à l'organisation audiovisuelle du film. Mais le montage poursuit son évolution et invente d'autres formes. Il importe donc que le regard du spectateur reste vigilant et actif. En paraphrasant Bazin parlant du cinéma, nous pouvons affirmer que le montage n'est pas encore inventé.

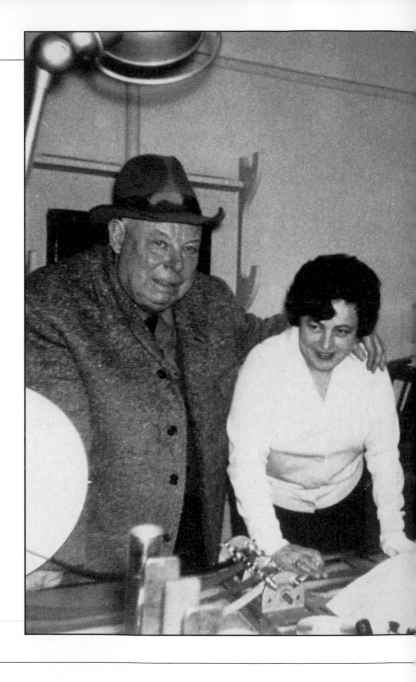

## Deuxième partie

# Documents, textes, analyses de séquences

Jean Renoir en compagnie de Renée Lichtig, qui monta trois des derniers films du cinéaste.

# Les principales fonctions du montage

En nous limitant aux opérations techniques, nous pouvons schématiser ainsi les interventions propres au montage, toutes commandées par la mise en scène.

**1. Sélectionner** les prises à retenir.

**2. Organiser le récit** dans un ordre qui n'est pas toujours celui du découpage : scène, séquence, montage parallèle, montage alterné, retour en arrière (*flash back*), montage anticipé (*flash forward*).

**3. Mettre en place** les plans les uns par rapport aux autres dans l'ordre le plus favorable (qui n'est pas toujours l'ordre prévu par le découpage).

**4. Déterminer les points de coupe** en amont et en aval de chaque plan en fonction des données dramatiques, narratives, expressives et des données suivantes.

**5. Mettre au point les raccords** entre plans. Dans le cas d'une action continue, on peut soit « suturer » les plans successifs (« transparence » recherchée du raccord : raccord de mouvement par exemple), soit pratiquer une ellipse, brève (économie dans la narration), soit encore rechercher un raccord délibérément « faux » à des fins expressives (mise en évidence du raccord : chevauchement obtenu par le redoublement d'un geste, par exemple).

**6. Déterminer le mode de transition** d'un plan à l'autre : coupe franche, fondu, enchaîné, volet…

**7. Rechercher le rythme** : à l'intérieur de chaque scène, puis de la séquence, puis du film tout entier.

**8. Mettre en place les différentes bandes sonores** : dialogue et son direct, effets, ambiances, musiques, commentaires off. Depuis une trentaine d'années, le travail concernant les sons ajoutés (à l'exception, donc, du son direct) est souvent confié à une équipe spécialisée (MONTAGE SON).

**9. Mélanger les bandes sonores** en une bande unique : le MIXAGE.

Quatre photogrammes de *L'Homme à la caméra* de Dziga Vertov (1929), quatre temps du montage. 1. *Choisir* (la table lumineuse). 2. *Couper* (le film et les ciseaux). 3. *Assembler* (l'enrouleuse). 4. *Classer* (les étagères de rangement).

# Les tableaux ne « raccordent pas »

## Avant le montage

Dans *Le Voyage à travers l'impossible* (1904), comédie burlesque et fantastique de Georges Méliès, l'automobile du professeur Mabouloff, à l'issue d'une course folle, fait une irruption brutale à l'intérieur de l'auberge du Righi, traverse la table d'hôte et s'éloigne.

Méliès traite cette action en deux tableaux distincts et successifs, sans aucun souci d'enchaînement : 10ᵉ *tableau* – L'Automabouloff dévale une pente vertigineuse et percute l'auberge dont un mur s'écroule ; 11ᵉ *tableau* – Dans la salle à manger, des dîneurs attablés devisent joyeusement. Soudain, la voiture traverse le mur de la salle, roule sur la table d'hôte et disparaît.

Un découpage moderne (et conventionnel) multiplierait les plans : 1 – L'automobile de Mabouloff dévale la pente.

2 – Les dîneurs de l'auberge sont joyeusement attablés. 3 – L'automobile, vue de l'ex-

Quatre photogrammes de *Voyage travers l'impossible* de Georges Méliès (1904) 1. 9ᵉ tableau : embarquement dans l'Automa bouloff ; 2. 10ᵉ tableau (début) : l'auberge d Righi ; l'aubergiste et son personnel font sign au conducteur de l'Automabouloff (hors-cham

térieur, percute le mur.
4 – L'automobile, vue de l'intérieur, traverse la table d'hôte et s'éloigne. Un découpage plus original (suggéré par le décor du onzième tableau de Méliès) traiterait la scène sous la forme d'un plan-séquence unique : à l'intérieur de l'auberge, les dîneurs devisent joyeusement ; derrière eux, par la fenêtre ouverte sur un paysage de montagne, on voit l'Automabouloff dévaler la pente et traverser la salle avant de disparaître.

Mais Méliès était ici l'esclave du mode de représentation qui était celui du tableau tel qu'il était pratiqué dans les revues, où l'on n'hésitait pas, entre un baisser et un lever de rideau à redoubler l'événement pour bien manifester à l'entendement des spectateurs que le nouveau tableau se situait dans la continuité du précédent.

Depuis trois-quarts de siècle, le cinéma a contribué à modifier très profondément notre regard de spectateur et il convient d'en tenir compte pour bien comprendre le cinéma des premiers temps. À l'inverse, il est certain qu'un spectateur de l'époque de Méliès effectuant un saut dans le temps ne comprendrait rien à un film d'aujourd'hui.

droite) de ralenti ; 3. 11ᵉ tableau (début) : la ᵃble d'hôte ; les convives devisent joyeuse-ᵐent autour de la table ; l'Automabouloff brise ᵉ mur de droite ; 4. 11ᵉ tableau (fin) : la table ᵈ'hôte ; l'Automabouloff vient de traverser la ᵃble de droite à gauche.

# L' « effet K »

## La mécanique du montage

Sans doute avec le concours de son élève Vsevolod Poudovkine, Lev Koulechov entreprit vers 1921 son expérience de montage la plus célèbre. Connue sous des noms divers : « expérience Mosjoukine » (du nom de l'interprète qui y participa involontairement), « effet Koulechov » ou encore « effet-K »[1], elle concernait le travail de l'acteur et fut notamment inspirée par le taylorisme, curieusement très admiré à l'époque en Union soviétique. Koulechov emprunta à un film trois gros plans du célèbre acteur russe Mosjoukine, plans neutres où il n'exprimait aucun sentiment. Il juxtaposa chacun de ces gros plans identiques avec le plan d'une assiette de soupe, le plan d'un cercueil où reposait une femme morte et le plan d'une petite fille en train de jouer. Le public admira le jeu de Mosjoukine qui savait si bien exprimer, tour à tour, la faim, la tendresse et le chagrin.

Ivan Mosjoukine dans *L'Angoissante aventure* de Jacob Protozanoff (1920). L'acteur bénéficia d'une popularité extraordinaire dans les années 10 et 20.

Les conditions même de l'expérimentation présentent des obscurités : on peut ainsi s'interroger sur la façon dont Koulechov assurait la séparation des différentes expressions. Certains théoriciens ont même contesté ou nié la réalité de l'expérience. Mais l'essentiel n'est pas là. Expérimenté ou pas, l'effet-K attire l'attention sur la fonction créatrice du montage : le simple collage de deux images permet que surgissent un lien ou un sens absents des images élémentaires. Et même si les variations

d'expression du visage de Mosjoukine n'étaient pas aussi évidentes qu'on l'a dit, il est probable que la jonction des plans établissait une CIRCULATION DU REGARD de l'un à l'autre, qu'elle assurait l'union entre le regardant et le regardé. Nous avons là un des effets essentiels du montage. L'agencement des plans présente cependant une bizarrerie qu'aucun analyste ne semble avoir relevé : le stimulé est placé AVANT le stimulant. L'expérience aurait été moins subtile, plus mécanique, si les gros plans de Mosjoukine avaient été placés APRÈS les images auxquelles ils sont confrontés. Dans la configuration décrite par Poudovkine, l'effet-K implique une contamination rétrospective de la perception du jeu. Tout se passe comme si le regard du spectateur se substituait à celui de Mosjoukine disparu de l'écran et que ce regard insufflait *a posteriori* ses propres émotions sur le visage imaginé de l'acteur.

L'expérience de Koulechov n'a pas laissé de traces filmiques et les images parfois publiées sont apocryphes. Mais plusieurs films se sont attachés à reconstituer l'expérience. Ainsi le moyen métrage à destination pédagogique *Gros plan* de Vincent Pinel et Christian Zarifian (1976), avec Daniel Fondimare.

1. Voir L'Effet Koulechov, « Iris », Paris, volume 4, n° 1, 1er semestre 1986.

# Les escaliers de *Potemkine*

Dans *Le Cuirassé Potemkine* de Serge M. Eisenstein (1925), la célèbre séquence de l'escalier d'Odessa est à elle seule un magistral exercice de montage portant et le désordre de la population qui dévale les marches en courant dans toutes les directions. La séquence est traitée avec une grande variété

A l'origine, *Le Cuirassé Potemkine* n'était qu'un épisode d'un film commémoratif qu'Eisenstein devait réaliser à l'occasion du vingtième anniversaire de la Révolution de 1905. Mais les circonstances obligèrent le cinéaste à le développer aux dimensions d'un long métrage et à lui donner une impor-

dont on trouve encore des citations dans des films récents[1]. Cette séquence oppose avec vigueur la ligne de soldats tsaristes impeccablement ordonnée qui descend mécaniquement l'escalier en tirant à bout de plans courts jouant sur les angles et l'échelle des plans, du grand ensemble au très gros plan. La scénographie des lieux – un vaste et magnifique escalier dessinant des lignes parallèles qui renforcent la composition des images –, le mouvement descendant régulier et implacable des soldats, la fuite brownienne de la foule, le rythme haletant et soutenu de la succession des plans, l'opposition forte entre l'"ordre" impérial triomphant et le désordre populaire s'achevant dans s'agit de réaliser une série d'images composées de telle sorte qu'elles provoquent un mouvement affectif, qui éveille à son tour une série d'idées. Le mouvement va de l'image au sentiment, du sentiment à la thèse » commentait Eisenstein lui-même.[2]

tance sociale et historique qu'il n'eut pas dans l'Histoire. Les touristes qui, aujourd'hui, font pélerinage sur les marches de l'escalier d'Odessa seraient déçus d'apprendre qu'elles ne furent pas le théâtre des événements décrits par le film. C'est la revanche du mythe sur la réalité...

le sang, tous ces éléments convergent et provoquent une émotion violente chez le spectateur. Cette émotion fait le lit de l'idée sans emprunter pour autant la démarche arbitraire du montage des attractions. « Il

1. Récemment dans *T'as de beaux escaliers...* *tu sais* d'Agnès Varda (1986) et *Les Incorruptibles* de Brian De Palma (1987). Au sujet de ce dernier film, voir l'article de Iannis Katsannias, « Eisenstein, Koulechov et nous », in *Cahiers du cinéma*, n° 400, octobre 1987, p. 56.

2. Conférence donnée à la Sorbonne le 17 février 1930 et reproduite in *La Revue du cinéma*, n°9, avril 1930, citation p. 23.

# Le montage selon Poudovkine

## Le spectateur actif

Dans *La Technique du film*[1] (1926), Vsevolod Poudovkine fait le point des recherches effectuées au temps du muet par les cinéastes soviétiques. Nous en donnons ici une transcription schématisée :

La scène, au lieu d'être enregistrée dans sa globalité sous la forme du tableau est fragmentée en plusieurs prises de vues favorisant les plans rapprochés (c'est le DÉCOUPAGE).

Les prises de vues sont effectuées sous différents angles et à différentes distances en couvrant tout l'espace, sans respecter le « quatrième mur » propre au tableau (ce sont les PLANS).

Le collage des plans successifs reconstitue la scène ; il crée un

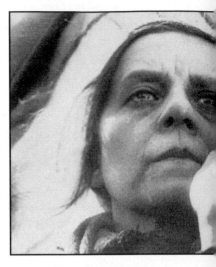

*La Mère* de Vsevolod Poudovkine (1926) le dégel printanier du fleuve souligne la prise de conscience révolutionnaire de l'héroïne.

espace, une temporalité et un rythme (c'est le MONTAGE).

Le contenu de chaque plan est délibérément simplifié, centré, de façon à améliorer sa lisibilité et chaque plan est amené à sa durée nécessaire (l'ÉCONOMIE DES PLANS).

La caméra observe la scène sous différents angles et à différentes distances comme si un observateur mobile et invisible l'avait déjà regardée pour

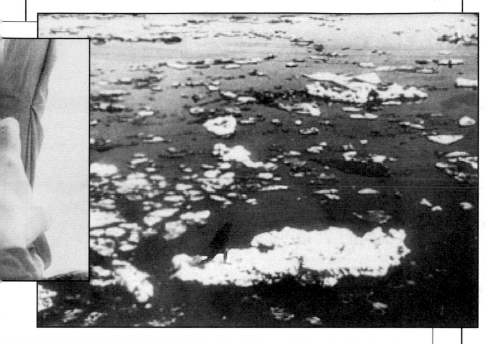

le spectateur (l'OBSERVATEUR ACTIF).

Le regard du spectateur accompagne les points de vue successifs du découpage. Ainsi pris en charge et dirigé par le réalisateur, il est amené à reconstruire la scène (la DIRECTION DU SPECTATEUR).

La succession des plans crée une continuité spatiale, temporelle, narrative et expressive (la MISE EN PLACE DE L'UNIVERS FICTIONNEL DU FILM, nous dirions aujourd'hui de la DIÉGÈSE).

Le contenu des plans, leur durée et leur succession déterminent le mouvement de la scène (la CRÉATION D'UN RYTHME). Les images mises ensemble réagissent et engendrent des notions nouvelles (la CRÉATION D'UN SENS, D'UNE ÉMOTION, D'UNE IDÉE).

1. Vsevolod Poudovkine, *Kinoregisseur i kinomaterial*, Kinopetchat', Moscou, 1926.

# Pratique du montage au temps du film muet

Le travail de montage était effectué dans les conditions les plus frustes : une table lumineuse (une table avec un verre dépoli éclairé par transparence), un compte-fils, une enrouleuse, un bac à film (la *Moviola*, petit appareil de lecture à visée individuelle, apparut aux Etats-Unis en 1924 et n'équipa en France que de très rares salles de montage à la toute fin du muet). Le responsable du montage (voir page 35) agissait sur deux fronts : il rédigeait le texte des intertitres qui étaient imprimés typographiquement ou dessinés à la main puis banc-titrés ; il coupait la pellicule du premier tirage (ou la déchirait à la main, voire avec ses dents !) un peu en deçà de la coupe de début souhaitée, un peu au-delà de la coupe de fin et, à l'aide d'épingles spéciales, attachait dans l'ordre les plans successifs. Une ouvrière remplaçait ensuite les épingles par des collures et on projetait la bande. Au fil des projections et des corrections on arrivait à un résultat acceptable. Le négatif était ensuite conformé à la copie de travail et tiré par petites unités de moins de 60 mètres. Après le tirage du film sous la forme de bobineaux positifs et leur virage ou leur teintage éventuels, on montait les copies de série en

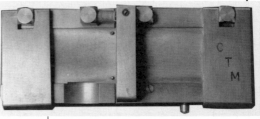

En France, la presse à coller fut utilisée pour le montage des positifs jusqu'au début des années 60. Notons que le mot « coller » est impropre : l'acétone (ou ses dérivés) qui constitue la « colle à film » est en fait un dissolvant du support. On devrait donc dire souder.

La technique du développement au cadre.

collant bout à bout, dans l'ordre de la « conduite », les éléments image et en intercalant les intertitres dans la langue souhaitée. Cette pratique compliquée était justifiée par les conditions de l'époque : le développement "au cadre" (le film était enroulé autour d'un simple cadre de bois plongé dans les cuves contenant les bains successifs) n'autorisait que de faibles longueurs, 60 mètres au maximum ; l'édition en différentes langues était aisée, le teintage et le virage facilité. Dans la deuxième moitié de la décennie, l'usage de la machine à développer en continu (le film exposé entrait d'un côté de la machine et sortait développé de l'autre, sans limitation de métrage) remit en cause cette méthode artisanale. L'arrivée de la bande sonore y mit un terme définitif.

La machine à développer en continu permet le développement d'un métrage illimité de film.

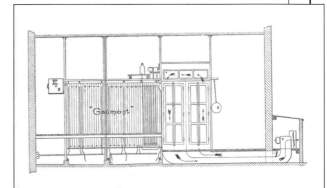

# Le champ-contrechamp

## La « ligne des yeux »

Pour filmer deux personnages Y et Z conversant face à face, la technique primitive consistait à enregistrer deux images observées du même point ou selon deux axes parallèles et proches

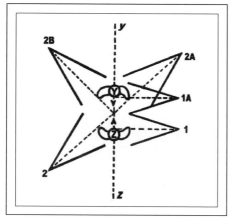

[angles 1 et 1A] perpendiculaires à la ligne imaginaire joignant leurs yeux [y-z] (et perpendiculaires au décor). Y et Z, complètement séparés, sont alors vus de profil et semblent échanger par les bords latéraux de l'image. Il convient dans ce cas d'écrire CHAMP CONTRE CHAMP, *contre* étant entendu comme à

proximité et non à l'opposé. Mais ces deux angles ne mettent en valeur ni les yeux, ni les regards. Pour avantager ceux-ci, il suffit de prendre un angle suffisant par rapport à la ligne imaginaire y-z pour cadrer Y de 3/4 face, ce qui permet de plus de placer Z *en amorce* (en le laissant apparaître de dos, éventuellement dans une zone de flou) [angle 2].

Comme il s'agit d'enregistrer deux champs opposés, il semble *a priori* logique de placer l'appareil à l'opposé sur le même axe, à 180° donc, pour avoir Z de 3/4 face et Y en amorce [angle 2A]. Pourtant la succession 2-2A est déroutante pour le spectateur : Y et Z semblent non pas se regarder mais regarder dans la même direction (les regards ne *croisent* pas et les plans *raccordent* mal). En plaçant l'appareil symétriquement à 2, du même côté de la ligne imaginaire y-z [angle 2B], nous

*La Dixième Symphonie* d'Abel Gance (1918), avec Emmy Lynn et Jean Toulout.

obtenons une succession d'images 2-2B qui répond à l'effet souhaité de CONTRECHAMP. Cette « règle » de la ligne imaginaire à ne pas franchir est applicable à tous les raccords de direction. Dans le cas d'un contrechamp montrant deux voitures qui se poursuivent, on doit éviter de passer outre la ligne imaginaire qui sépare les deux véhicules sous peine de créer une confusion dans le sens de leur déplacement. Il importe donc, dans un tournage, de se fier aux directions enregistrées dans les images qui se suivent et non à la seule topographie du lieu où l'on filme.

Ci-contre à gauche : champ-contre-champ à 180°. A droite : champ-contre-champ dans les « règles » (*Les Enchaînés* (Notorious) d'Alfred Hitchcock (1946), avec Cary Grant et Ingrid Bergman).

# Pratique classique du montage sonore

**Les rushes.** Tout le matériel négatif exposé est développé, mais seules sont tirées les prises retenues par le réalisateur et cerclées dans le *rapport image*. Ces prises, collées dans l'ordre des numéros (*premier positif*), sont synchronisées au laboratoire avec le *son direct*.

**La copie de travail.** À la main ou à la machine, le monteur stagiaire numérote face à face les deux bandes pour faciliter la synchronisation ultérieure du moindre fragment de film. Après le *choix* des prises conservées pour le montage, les prises non retenues (*doubles*) sont extraites et classées (*dédoublage*). On obtient un *bout à bout* des plans avec les *annonces*, les *ordres* et les *claps* : la *copie de travail* à l'état brut.

**Le premier montage** est un travail de dégrossissage progressif et d'assemblage patient des deux bandes, image et son

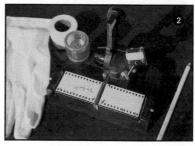

1. Margaret Booth, célèbre monteuse hollywoodienne de la période classique, a collaboré notamment à plusieurs films de George Cukor. Devant elle, le chutier où sont accrochées les prises à monter ou à classer ; à sa gauche, l'enrouleuse ; derrière elle, une Moviola.

2. Une presse à ruban adhésif préperforé : le collage à l'aide d'un ruban adhésif, préperforé ou non (voir la presse CIR en page 88) a définitivement remplacé le collage « à la colle » dans toutes les salles de montage depuis les années 60.

direct. Le *chef monteur*, à l'aide d'une *table de montage* (appareil de vision et d'écoute) et sous le contrôle du réalisateur, cherche les points de coupe, « peaufine » les raccords, traque le « tempo » de chaque scène puis le rythme des scènes entre elles. L'*assistant monteur* effectue les collures aux emplacements marqués, veille au synchronisme et classe les *chutes*.

**Le montage son** est souvent confié à une équipe spécialisée qui intervient une fois le premier montage amené à un point satisfaisant. Les autres éléments sonores – effets, ambiances, commentaires off, musiques... – sont répartis sur autant de bandes, parfois plusieurs par type d'élément, et placés face à la copie de travail.

**Le mixage** assure le mélange équilibré et corrigé des pistes sonores en une piste unique (ou sur les pistes multiples du son d'aujourd'hui).

**Les travaux de fini-**

**tion** sont tous effectués par le laboratoire : a) le son mixé est reporté sur piste photographique ou sur tout autre support sonore destiné à l'exploitation. b) Le négatif image est monté conformément à la copie de travail en se référant aux numéros de bord (*keycode number*) qui figurent en marge des deux éléments. c) les travaux spéciaux sont réalisés par les services « titrage » et « truca ». d) L'*étalonneur* établit la liste des corrections nécessaires pour égaliser les lumières. e) La *copie zéro*, première copie positive réunissant le son et l'image, est tirée et développée. f) Après corrections, on établit des éléments de sécurité. g) les copies de série destinées à l'exploitation, dites *copies standards*, sont enfin tirées, développées et vérifiées.

La Moviola, traditionnelle aux Etats-Unis, est ici équipée pour la lecture du son optique. L'examen de l'image s'effectue à l'aide d'un œilleton, à la façon du Kinetoscope d'Edison.

# Les références écrites du monteur

## Du découpage au plan de mixage

Quelques écrits permettent au monteur de ne pas se perdre dans la profusion du matériel amassé au cours du tournage.

1. Le **découpage** (ou **script**) est le document maître qui donne un sens à chaque fragment de ce matériel. Il a été pensé et rédigé avant le tournage. Or il est fréquent que le tournage se fasse *contre* le script, le montage *contre* le tournage, voire le mixage *contre* le montage ! Les transformations sont nombreuses entre le scénario prévu et réalisé comme en témoigne ces deux états du découpage du *Dernier Métro* de François Truffaut (1980) : a) le « découpage du tournage » annoté par Truffaut ; b) le « découpage du montage » annoté par la monteuse.

2. Le **rapport image** donne pour chaque plan les différentes prises et leur métrage. Les prises jugées bonnes par le réalisateur sont cerclées et puis tirées (mais il n'est pas interdit de revenir sur ce choix).

3. Le **rapport de montage** (**editor's log**), établi ici par la scripte Claudine Strasser pour *Le Pacte des loups* (Christophe Gans, 2001), précise les conditions techniques du tournage de chaque plan (GD = gauche-droite) et le jugement porté sur chaque prise (NG = *no good*, mauvais).

4. Le **plan de mixage** est le travail du chef monteur[1] à destination du mixeur. Face au déroulement du film mesuré dans le temps, il donne la répartition des sons sur les différentes bandes sonores. Sa présentation emprunte des formes

## 17.  SCENE ET SALLE. INTERIEUR. JOUR  17.  **1a**

NADINE arrive sur scène (par la coulisse ou par la
salle) et, pour la première fois, nous voyons Jean-
Loup en colère.

*J.L. assis à
sa table lumière
Marion, assise à côté
de lui*

### JEAN-LOUP
Ah, te voilà enfin, toi ! Franchement,
tu exagères. Depuis près d'une heure,
on répète sans toi. Nous ne sommes pas
à ta disposition, tu sais. *Tu as,*

~~MARION~~
~~Jean-Loup a raison. Vous savez,~~ Nadine,
~~vous avez~~ signé un contrat, ~~vous devez~~
*tu dis* le respecter. ~~Trois retards dans la même~~
~~semaine c'est un cas de rupture de con-~~
~~trat.~~ Qu'est-ce que ~~vous avez~~ *tu as* comme
excuse aujourd'hui ~~?~~ *?*

~~MARION~~
Je parie que c'est ~~ton~~ réveil qui n'a pas
sonné.

### NADINE
Non, je faisais une synchro.

---

## 17.  SCENE ET SALLE. INTERIEUR. JOUR  17.  **1b**

NADINE arrive sur scène (par la coulisse ou par la
salle) et, pour la première fois, nous voyons Jean-
Loup en colère.

*NADINE : Excusez-moi Marion
je suis vraiment désolée
Jean-Loup.*

*J.L : Oui, oui te presse pas. Ça
fait 1 heure qu'on t'attend
pour répéter. Tu sais qu'on
n'est pas à ta disposition
ma chérie. Qu'est-ce que
t'as comme excuse aujour-
d'hui c'est ton réveil qui
a pas sonné*

*NADINE : Non, je faisais une
synchro*

~~JEAN-LOUP~~
~~Ah, te voilà enfin, toi ! Franchement,~~
~~tu exagères. Depuis près d'une heure,~~
~~on répète sans toi. Nous ne sommes pas~~
~~à ta disposition, tu sais.~~

~~MARION~~
~~Jean-Loup a raison. Vous savez, Nadine,~~
~~vous avez signé un contrat, vous devez~~
~~le respecter. Trois retards dans la même~~
~~semaine c'est un cas de rupture de con-~~
~~trat. Qu'est-ce que vous avez comme~~
~~excuse aujourd'hui !~~

# Pratique

variées. Celle d'Agnès Guillemot est originale : elle utilise du papier à musique (lecture horizontale de gauche à droite). Ici un fragment du plan de mixage de *La Chinoise* de Jean-Luc Godard (1968).

1. Du moins l'était : dans le montage virtuel, l'ordinateur "crache" sur demande un listing qui rend caduc ce type de document.

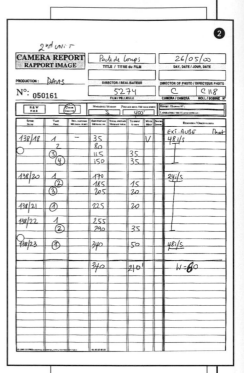

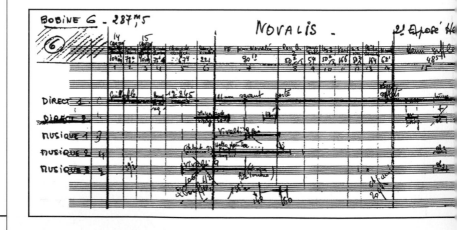

**❸**

## "LE PACTE DES LOUPS" 2ⁿᵈ UNIT — Editor's Log — Forêt
Script Superisor: Claudine Strasser — INT (EXT) — (DAY) NIGHT — Day: 132

| SCENE | TAKE | TIME | COMMENTS | DATE | CR/LENS | SRØ | SHOT DESCRIPTION |
|---|---|---|---|---|---|---|---|
| 104A/3 | 1 | 13" | Focus sur MANI | 9/08 | I 27 / 5278 / V 400° | MOS | CAM I - STEADICAM |
| | 2 | 21" | Focus sur loup | | | | On démarre sur le loup |
| | 3 | 14" | NG | | 35mm | | assis - MANi (double) |
| | 4 | 11" | NG | | d=30 à 17 | | entre GD 1ᵉʳ pl (dos), |
| | (5) | 9" | pas mal | | φ=5.6 à 4½ | | Tomahawk main G, marche |
| | (6) | 8" | pas mal ms sortie dechp hésitante | | 85. BE½ | | vers le loup qui se lève |
| | 7 | 12" | NG | | | | et le loup qui se lève |
| | (8) | 10" | OK | | I 28 / 5278 / V 400° | | suit, passant Tomahawk |
| | | | | | | | main Droite - |
| | | | | | | | |
| | | | | | | | |
| 104A/4 | 1 | | possible | 9/08 | D296 / 5278 / SA 400 | MOS | CAM D - |
| | 2 | | NG | | D295 / 5278 / SA 400 | | Sur le loup assis sur |
| | 3 | | intéressant | | 13.400 | 100mm | le rocher (face), se lève |
| | 4 | 21" | 32 i/s NG | | d=45 à 30 | | et part GD - |
| | 5 | 14" | pas terrible | | φ=2.8 ot 4 | | |
| | 6 | 11" | NG | | 85 | | |
| | (7) | 9" | pas mal | | | | |
| | (8) | 8" | OK | | | | |
| | 9 | 12" | NG - qd le loup part équipe STEAD dé chp | | | | |
| | 10 | 10" | NG | | | | |

Vote — exposé Veronique — **❹**

# Montage interdit

André Bazin éprouvait des réticences à l'encontre du montage et surtout du montage « manipulateur » qui nie l'homogénéité de l'espace et l'authenticité de l'action. Dans un article célèbre, *Montage interdit* (reproduit dans l'édition définitive de *Qu'est-ce que le cinéma ?*, Éditions du Cerf, Paris, 1975, p. 49 à 61), il analyse une séquence du film *Crin blanc* (1953) d'Albert Lamorisse.

« Assurément, la réalisation du film a exigé de nombreuses prouesses. Le gamin recruté par Lamorisse n'avait jamais approché un cheval. Il fallut pourtant lui apprendre à monter à cru. Plus d'une scène, parmi les plus spectaculaires, ont été tournées presque sans truquage et en tout cas au mépris de périls certains. Et cependant il suffit d'y réfléchir pour comprendre que si ce que montre et signifie l'écran avait dû être vrai, effectivement réalisé devant la caméra, le film cesserait d'exister, car il cesserait du même coup d'être un mythe. C'est la frange de truquage, la marge de subterfuge nécessaire à la logique du récit qui permet à l'imaginaire, à la fois d'intégrer la réalité et de s'y substituer. [...] Ce qu'il faut, pour la plénitude esthétique de l'entreprise, c'est que nous puissions *croire* à la réalité des événements en les *sachant* truqués. Point n'est besoin, certes, au spectateur de savoir expressément [...] qu'il fallait tirer sur les naseaux de l'animal avec un fil de nylon pour lui faire tourner la tête à propos. Ce qui importe seulement, c'est qu'il puisse se dire, tout à la fois, que la matière première du film est authentique et que, cependant, "c'est du cinéma". Alors l'écran reproduit le flux et le reflux de notre imagination qui se nourrit de la réalité à laquelle elle projette de se substituer, la fable naît de l'expérience qu'elle transcende. »

« Mais, réciproquement, il faut que l'imaginaire ait sur l'écran la densité spatiale du réel. Le montage ne peut y être utilisé que dans des limites précises, sous peine d'attenter à l'ontologie même de la fable cinématographique. Par exemple, il n'est pas permis au réalisateur d'escamoter par le champ-contrechamp, la difficulté de faire voir deux aspects simultanés d'une action. Albert Lamorisse l'a parfaitement compris dans la séquence de la chasse au lapin où nous avons toujours simultanément, dans le champ, le

Dans son article, André Bazin donne en exemple positif un plan de *Louisiana Story* (Robert Flaherty, 1948) : « Le plan-séquence du crocodile attrapant le héron, filmé en un seul panoramique, est simplement admirable. »

cheval, l'enfant et le gibier, mais il n'est pas loin de commettre une faute dans celle de la capture de Crin Blanc, quand l'enfant se fait traîner par le cheval au galop. […] Je suis gêné qu'à la fin de la séquence, quand l'animal ralentit puis s'arrête, la caméra ne me montre pas irréfutablement la proximité physique du cheval et de l'enfant. Un panoramique ou un travelling arrière le pouvait. Cette simple précaution eut authentifié rétrospectivement tous les plans anté- rieurs, tandis que les deux plans succes- sifs de Folco et du cheval, en escamo- tant une difficulté devenue pourtant bénigne à ce moment de l'épisode, vien- nent rompre la belle fluidité spatiale de l'action. »

*Crin blanc* d'Al- bert Lamorisse (1953) avec Alain Emery.

« Si l'on s'efforce maintenant de définir la difficulté, il me semble qu'on pourrait poser en loi esthétique le principe suivant : « Quand l'essentiel d'un événement est dépendant d'une présence simultanée de deux ou plusieurs facteurs de l'ac- tion, le montage est interdit. » Il reprend ses droits chaque fois que le sens de l'ac- tion ne dépend plus de la contiguïté phy- sique, même si celle-ci est impliquée. Par exemple, Lamorisse pouvait montrer ainsi qu'il l'a fait, en gros plan, la tête du cheval se retournant vers l'enfant comme pour lui faire obédience, mais il aurait dû, dans le plan précédent, lier par le même cadre les deux protagonistes. »

# Le montage selon Hitchcock
## *L'Inconnu du Nord-Express*

L'œuvre d'Alfred Hitchcock fourmille de séquences brillantes où le "maître du suspense" met à profit sa science exceptionnelle du découpage et du montage. On pense à l'attaque aérienne dans *La Mort aux trousses*, au meurtre de Marion dans *Psychose*…Nous avons fait un autre choix, moins spectaculaire mais tout autant révélateur.

*L'Inconnu du Nord-Express* (1951) est fondé sur le thème de l'échange de meurtres entre deux hommes censés ne pas se connaître : le champion de tennis Guy Haines et un de ses admirateurs, Bruno, fils de famille. Ils se rencontrent dans un train. Guy souhaite refaire sa vie avec la fille d'un sénateur. Bruno hait son père et veut le supprimer. Bruno propose à Guy de tuer sa femme Myriam qui refuse le divorce. En échange, Guy tuera son père. Guy ne prend pas au sérieux les propos du psychopathe qui accomplit pourtant la première partie du "contrat" et entend que la seconde soit exécutée. La séquence que nous analysons se situe au tout début du film. Elle décrit en montage alterné les pas des deux hommes qui traversent selon deux trajectoires opposées la gare de Washington et montent dans un train, puis leur rencontre inopinée. Hitchcock choisit de présenter ses personnages et de les caractériser en ne montrant que leurs jambes et leurs pieds en plans rapprochés, sans un mot de dialogue.

**1.** Bruno, pantalon finement rayé et chaussures voyantes, traverse la gare (de droite à gauche). **2.** Guy, costume classique, fait de même (de gauche à droite) ; derrière lui, le porteur tient un jeu de raquettes. **3.** Le train démarre et nous voyons le dessin des rails qui

semblent tour à tour s'écarter et se rapprocher au fil des aiguillages. **4 et 5.** Bruno parcourt un compartiment et s'assoit (travelling d'accompagnement). **6 et 7.** Idem pour Guy. **8 et 9.** En repliant ses jambes, un pied de Guy heurte légèrement le pied droit de Bruno. **10.** Le contact est pris, le destin a réuni les deux hommes : nous les voyons de profil en plan moyen. **11 et 12.** Un champ-contrechamp presque frontal en plan rapproché nous permet maintenant de mieux découvrir leur apparence physique.

# Le montage selon Tarkovski

Avant toute besogne technique, monter un film relève d'un travail artistique qui consiste en premier lieu à découvrir ce film, à chercher sa structure, à dégager son mouvement et son rythme. Dans un texte célèbre, *De l'image au cinéma*, Andrei Tarkovski évoque ce travail patient de désensablement (in *Le Temps scellé*, Ed. Cahiers du cinéma, 1989, p. 110-111)

« Le montage du *Miroir*[1], par exemple, fut un travail colossal. Il y eut plus de vingt versions différentes. Et par « version », je n'entends pas quelques modifications dans l'ordre de succession de certains plans, mais des changements fondamentaux dans la construction et l'enchaînement des scènes. J'avais le sentiment, par moments, que le film ne pourrait jamais être monté et que des erreurs impardonnables avaient été commises au cours du tournage. Le film ne tenait pas debout, il s'éparpillait sous nos yeux, n'avait pas d'unité, pas de liant intérieur, pas de logique. Puis un beau jour, alors que j'avais désespérément imaginé une dernière variante, le film apparut, le matériau se mit à vivre, les différentes parties du film à fonctionner ensemble, comme si quelque système sanguin les réunissait. Et quand cette dernière tentative désespérée fut projetée sur un écran, le film naquit sous mes yeux. J'ai longtemps eu du mal à croire à ce miracle, mais le film, cette fois, tenait debout.

C'était une mise à l'épreuve de la justesse de notre travail sur le plateau. Il était clair que si le montage dépendait de l'état intérieur du matériel filmé, et que si cet état était vraiment né pendant le tournage, le film devait alors obligatoirement se monter. L'inverse aurait été contre nature. Pour que le lien s'établisse, pour qu'il soit organique et justifié, il s'agissait de percevoir le principe et le sens de l'organisation de la vie qui existait à l'intérieur des séquences filmées. Et lorsque, Dieu merci, nous y sommes parvenus, quel soulagement ce fut pour nous tous ! *Le Miroir* avait retrouvé, et articulait, le temps même qui courait à travers chacun de ses plans. Il n'y a dans le film que deux cents plans environ, ce qui est peu par rapport aux cinq cents ou mille que contiennent en général des films de cette durée. Mais ce nombre réduit est dû ici à leur longueur.

Les raccords de plans organisent la structure du film mais ne créent pas, contrairement à ce qu'on croit d'habitude, le rythme du film. Le rythme est fonction du caractère du temps qui passe à l'intérieur des plans. Autrement dit, le rythme du film n'est pas déterminé par la longueur des morceaux montés, mais par le degré d'intensité du temps qui s'écoule en eux. Un raccord ne peut déterminer un rythme (ou alors le montage n'est qu'un effet de style), d'autant plus que le temps dans un film s'écoule davantage en dépit du raccord qu'à cause de lui. C'est ce flux du temps, fixé dans le plan, que le réalisateur doit saisir à l'intérieur des morceaux posés devant lui sur la table de montage.

Le temps fixé dans le plan dicte au réalisateur le principe de son montage. Et les morceaux qu'on ne peut monter ensemble sont ceux où le caractère du temps est trop radicalement différent. Ainsi on ne peut pas plus monter du temps réel avec du temps conventionnel, qu'on ne peut raccor-der ensemble des tuyaux de diamètres différents. Cette consistance du temps qui s'écoule dans un plan, son intensité ou au contraire sa dilution, peut être appelée la pression du temps. Le montage est alors une forme d'assemblage de petits morceaux faite en fonction de la pression du temps que chacun renferme.

L'unité ressentie à travers des plans différents peut être amenée par l'unité de la pression, ou de la tension, qui détermine le rythme du film. »

1. *Le Miroir* d'Andrei Tarkovski, URSS, 1974. Ce film fut distribué en France en 1978.

*Le Miroir* d'Andrei Tarkovski (1974) ne comporte que 200 plans contre 500 à 700 dans un film « standard ».

# Les évolutions techniques des matériels de montage

Peu d'évolutions techniques ont bouleversé la pratique du montage depuis l'arrivée du sonore. Il y eut en Europe l'apparition des tables de montage, rivales de la Moviola américaine, avec l'avantage de la vision sur un petit écran : la Moritone d'abord, à déroulement horizontal, particulièrement bruyante, puis les tables horizontales, souples et silencieuses (Interciné, Kem, Prévost, Steenbeck).

La presse à ruban adhésif CIR 16 mm. La presse assure elle-même la perforation du ruban adhésif.

Il y eut ensuite le bouleversement apporté par l'usage de la pellicule sonore magnétique qui, au cours des années cinquante, se substitua à la bande sonore optique. Les monteurs, à contrecœur, s'habituèrent à travailler avec cette « pellicule aveugle », selon leur expression, qui nécessitait une tête de lecture pour être déchiffrée alors que les arêtes du son optique étaient directement lisibles à l'œil nu.

Un petit événement transforma radicalement la pratique du monteur : l'introduction de la colleuse à scotch CIR, mise au point par le monteur de Fellini, Leo Catozzo.

Cette colleuse permet en effet un travail rapide et surtout, contrairement à la presse à coller traditionnelle, évite le sacrifice de deux photogrammes à chaque collure – ce qui rend possible, en cas de remords, le rétablissement de la continuité originale des images.

Nous ne nous étendrons pas ici sur les différentes tentatives visant à créer une maquette de montage à l'aide de la vidéo analogique par reports successifs et dans l'ordre chronologique des images sélectionnées sur une bande magnétique. Du purgatoire du montage film on tombait dans l'enfer du montage vidéo ! Mais ces efforts laborieux annonçaient la révolution du virtuel.

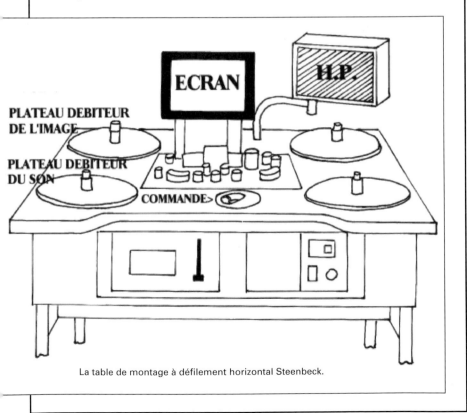

La table de montage à défilement horizontal Steenbeck.

# Pratique du montage virtuel

Dans cette technique qui tend aujourd'hui à se généraliser, les *rushes* sont reportés sur des bandes vidéo (*télécinéma*). Les images vidéo sont ensuite numérisées et classées par l'assistant monteur. Chaque image transférée est identifiée par un numéro de bord (*keycode number*) qui permet de retrouver son équivalent dans le négatif. Le chef monteur, à l'aide d'un logiciel spécialisé, convoque les images numérisées sur l'écran d'un moniteur et constitue une maquette de montage vidéo qui peut être très élaborée. L'ordinateur ne fait que mémoriser des listes d'adresses et appeler tour à tour des images entreposées dans sa mémoire. Le montage virtuel permet d'accéder directement et instantanément à ces images, de les lire et de les ordonner sans changement de support (sans recopie).

Cette méthode présente beaucoup d'avantages par rapport au montage classique : rapidité d'exécution ; élimination de manipulations laborieuses (coupures, collures, classement des chutes…) ; possibilité d'expérimenter plusieurs solutions de montage, d'essayer des effets (transition, étalonnage, recadrage, surimpression…) et de préparer une bande son élaborée.

Mais le montage virtuel ne se limite plus à l'élaboration d'une maquette de montage. Les progrès informatiques, et notamment l'augmentation de la capacité de stockage, permet-

> Le numéro de bord et le code-barre (keycode number) inscrits sur la manchette de la pellicule permettent le repérage précis de chaque image.

```
Project: la squale                          Assemble List for Picture 1 - page 1 of 4
Sequence: MONTAGE DEF.Copy.02                                    20/04/99 0:36:2

MONTAGE DEF.Copy.02              69 events      handles = 0
Picture 1                         0 dupes       total footage:    396+12
Assemble List                     0 opticals    total time: 00:04:24:11
-----------------------------------------------------------------------------
Format: Avid Optical Block;
Show Running Footage as: 35 mm - 4 perf; Show Durations as: ???;
Conform Using: Keycode; Conforming Method: A Roll
Info to Display: Sequence Footage, Key Numbers, Clip Name, Icons, Lab Roll,
-----------------------------------------------------------------------------
      Footage   Duration   First/Last Key    Lab Roll  Clip Name

  1.  0+00      4+08   FN 72 5210-6753+10       7     1/3/1.sync.01
      4+07                     6758+01

  2.  4+08      2+03   FN 72 5210-6638+13       7     1/2/2.sync.01
      6+10                     6640+15

  3.  6+11      8+02   FN 72 4074-6577+00       4     1/4/4 BIEN +
      14+12                    6585+01

  4.  14+13     1+03   FN 72 5210-5649+06       6     1/1/2.sync.01
      15+15                    5650+08

  5.  16+00     8+11   FN 72 4074-6586+05       4     1/4/4 BIEN +
      24+10                    6594+15
```

Liste de conformation destinée au montage négatif pour le film *La Squale* de Fabrice Genestal (2000). Pour chaque plan sont donnés (dans la troisième colonne) les numéros de bord de début et de fin.

tent maintenant d'effectuer une conformation numérique du négatif qui remplace le montage négatif traditionnel à la colle. C'est le procédé que préconise la société Duboicolor relayée par les différents laboratoires qui se proposent, petit à petit, de remplacer leur filière photographique et chimique par une filière numérique. L'équipe de montage fournit au "laboratoire numérique" les listes de numéros de bord correspondant au montage définitif. Les fragments utiles du négatif sont *scannés* en haute définition (HD) et mis dans l'ordre. Il est alors possible d'étalonner le film en temps réel en le visionnant sur grand écran dans une salle de projection numérique HD. Lorsque l'étalonnage est jugé satisfaisant, l'image HD est *shootée* (reportée) sur film avec tous les effets voulus (transitions, recadrages, modifications de fréquence ...). On obtient un internégatif dans le format d'exploitation souhaité, prêt au tirage des copies, en évitant la dégradation des opérations successives de contretypage de la filière chimique. Le négatif original n'a pas été coupé et peut être conservé dans son intégralité.

# Bibliographie

## Ouvrages spécialisés

Vincent Amiel, *Esthétique du montage*, Coll. Nathan Cinéma, Nathan, Paris, 2001
(les différentes formes du montage ; exposé documenté)

John Burder, *La Technique du montage 16 mm*, Editions Dujarric, Paris, 1979
(point de vue étroitement technique mais très précis)

Philippe Durand, *Cinéma et montage : un art de l'ellipse*, coll. 7ème Art, Editions du Cerf, Paris, 1993

Albert Jurgenson, Sophie Brunet, *Pratique du montage*, FEMIS, Paris, 1990
(une « leçon de cinéma » par un maître du montage)

Philippe Le Guay (dir.) : *Les Monteurs*, in *Cinématographe*, n° 108, mars 1985, Paris.

Raymond Louveau, Jean-Bernard Bonis, *Le Montage de film*, Institut des Hautes Etudes Cinématographiques, Paris, 1967

Vincent Pinel, *Le cinéma et l'invention du regard : la vue, le tableau, le plan*, conférence donnée au Musée d'Orsay en novembre 1989, in 48/14, n° 3, Réunion des Musées Nationaux, Paris, 1991

Dominique Villain, *Le montage au cinéma*, coll. Essais, Cahiers du cinéma / Editions de l'Etoile, Paris, 1991 (aperçus pratiques, théoriques et historiques)

## Ouvrages généraux

Jacques Aumont, Alain Bergala, Michel Marie, Marc Vernet, *Esthétique du film*, dernière édition : coll. Nathan Cinéma, Nathan, Paris, 1994

Jacques Aumont, Michel Marie, *Dictionnaire théorique et critique du cinéma*, Nathan, Paris, 2001

André Bazin, *Qu'est-ce que le cinéma ?*, « édition définitive » : coll. 7ème Art, Editions du Cerf, Paris, 1975

David Bordwell et Kristin Thompson, *L'art du film : une introduction*, coll. Arts et cinéma, De Boeck Université, Bruxelles, 1999

Robert Bresson, *Notes sur le cinématographe*, Gallimard, Paris, 1975

Noël Burch, *Une praxis du cinéma*, coll. Folio / Essais, Gallimard, Paris, 1986
    (une réflexion très excitante sur les formes cinématographiques)

Noël Burch, *La Lucarne de l'infini, Naissance du langage cinématographique*, série Cinéma et image, Nathan Université, Paris, 1991 (approche passionnante du cinéma des premiers temps et de son évolution)

Michel Chion, *La voix au cinéma*, coll. Essais, Cahiers du cinéma / Editions de l'Etoile, Paris, 1982

Michel Chion, *Le son au cinéma*, coll. Essais, Cahiers du cinéma / Editions de l'Etoile, Paris, 1985

Michel Chion, *La toile trouée*, coll. Essais, Cahiers du cinéma / Editions de l'Etoile, Paris, 1988

Michel Chion, *L'Audio-vision*, coll. Nathan-Université, Nathan, 1990
    (les ouvrages de Michel Chion constituent un remarquable instrument d'exploration du son au cinéma ; on lira également ses articles sur les figures de style cinématographiques dans la revue *Bref*)

Gilles Deleuze, *L'image-mouvement*, coll. Critique, Les Editions de Minuit, Paris, 1983

Sergueï-M. Eisenstein, *Réflexions d'un cinéaste*, Editions en langues étrangères, Moscou, 1958

Sergueï-M. Eisenstein, *Le film : sa forme, son sens*, Editions Christian Bourgois, Paris, 1976

Jacques Faure, *L'Entretien et l'exploitation du cinéma*, Editions *Sciences et voyages*, Paris, s.d. (1924)

Thérèse Giraud, *Cinéma et technologie*, coll. Science, histoire, société, Presses Universitaires de France, Paris, 2001

André Malraux, *Esquisse d'une psychologie du cinéma*, Gallimard, Paris, 1946

Marcel Martin, *Le langage cinématographique*, dernière édition : coll. 7ème Art, Editions du Cerf, Paris, 2001

Jean Mitry, *Esthétique et psychologie du cinéma*, dernière édition : coll. 7ème Art, Editions du Cerf, Paris, 2001

Jean-Loup Passek, *Dictionnaire du cinéma*, Larousse, Paris, 1991

Pathé-Cinéma, *Le film vierge Pathé*, Pathé-Cinéma, Paris, 1926

Vincent Pinel, *Techniques du cinéma*, coll. Que sais-je ?, PUF, Paris, 1981

Vincent Pinel, *Vocabulaire technique du cinéma*, coll. Réf., Nathan, Paris, 1996

Vsevolod Poudovkine, *Film Technique and Film Acting*, Grove Press, New York, 1970

Barry Salt, *Film Style and Technology : History and Analysis*, Starword, Londres, 1983 et 1992

# Table

Remerciements de l'auteur
Françoise Collin, Catherine Fröchen, Agnès Guillemot, Renée Lichtig, Christophe Pinel, Sébastien Prangère, Yves Puš, Tommaso Vergallo, Christian Zarifian, le service communication de Duboi et surtout Françoise, mon épouse et toujours aussi dévouée première lectrice.

L'édition de cet ouvrage a été coordonnée par Claudine Paquot.
Conception graphique : studio Nathalie Baylaucq. Réalisation : Yves Puš.
Note : la date donnée pour chaque film est celle de sa sortie commerciale.
En couverture : huit photogrammes de la séquence de l'avion agresseur dans La Mort aux trousses d'Alfred Hitchcock (1959) : le montage dans tous ses états.

Nos remerciements aux sociétés et aux personnes qui ont autorisé la publication de documents de travail : Davis Films : p. 80-81 (haut) ; Agnès Guillemot : p. 80-81 (bas) ; Cine Nomine : p. 91. Remerciements particuliers à Madame Madeleine Morgenstern pour les documents de travail de François Truffaut (fonds BIFI) : p.79.

Crédits photographiques
Coll.Vincent Pinel : couverture (MGM), p. 4 (Photoplay), pp. 6, 7, 9 (Association Frères Lumière), pp. 17, 19, 22, 24, 25, 28, 30, 31, 37 (MGM), p. 40 (Artistes Associés), p. 45, 47 (RKO), pp. 51, 55, 63, 64-65, 67 (Films Seine-Océan), pp. 70-71, 72, 73, 74, 75, 76, 77, 83 (bas), 85 (Warner), pp. 88, 89, 90. Coll. Cahiers du cinéma : pp. 13, 14, 27 (photogrammes Vincent Pinel), pp. 33, 35, 49 (Warner), p. 52 (photogrammes Vincent Pinel), pp. 68-69 (photogrammes Vincent Pinel), p. 83 (haut), p. 87. Coll. BIFI : pp. 20,42, 60-61, 66, 79. Coll. Cinémathèque française : p. 35. Coll.Télérama : p. 53 (photo Yvon Beaugier). Photo Willy Rizzo : p. 57 (DR).

**Dans la même collection :**

Photogravure : W Digamma, Neuilly-Plaisance − France
Impression : A.G.G. Printing Stars, Farigliano − Italie - Dépôt légal, avril 2006
© Cahiers du cinéma 2001
ISBN 2.86642.314.3
CNDP : ISBN 2 240.01.351.6
Réf SCÉREN/CNDP : OBC 23148